Kotzebue, August

Ausgewaehlte prosaische Schriften Enthaltend die Romane

Kotzebue, August von

Ausgewaehlte prosaische Schriften Enthaltend die Romane

Inktank publishing, 2018

www.inktank-publishing.com

ISBN/EAN: 9783750129283

August's von Kotzebue

ausgewählte

profaische Schriften.

Enthaltend:

Die Romane, Erzählungen, Anekdoten und Miszellen.

—▷◯◁—

Sechzehnter Band.

—▷●◁—

Wien, 1842.

Verlag von Ignaz Klang, Buchhändler.

Ein griechisches Gewand, ein Kopfputz à la grecque, eine griechische Nase, ein griechischer Wuchs, das sind lauter allgemein bekannte Dinge unter den Damen; allein sonst hören sie wohl oft die Griechen nennen, und nennen sie auch wohl selber oft, ohne sich einer nähern Bekanntschaft mit diesem hochgepriesenen Volke rühmen zu können. Einem schönen Weibe wird Alles verziehen, aber nicht einem schön gewesenen, und da leider auch die schönsten Rosenlippen von der unerbitterlichen Zeit gebleicht und mit Falten umzogen werden, so sollte jede Dame, für gewisse Jahre, wo ihr bloßes Lächeln nicht mehr entzücken wird, Geistesblüten sammeln, die in jedem Alter jede Lippe zieren.

Es ist auch fürwahr nicht die Schuld der Damen, wenn sie unwissend bleiben, sondern einzig und allein unsere Schuld. Wir wollen immer nur für Gelehrte gelten, und wissen unsere Gelehrsamkeit den Damen nicht genießbar zu machen. Hier ein Brocken griechisch, dort ein Brocken lateinisch, hier eine Note, dort ein Citat; ohne solche Schnörkel thun wir es nicht, und eben vor diesen Schnörkeln laufen die Damen. Ferner: wir stellen langweilige Untersuchungen über Kleinigkeiten an, wollen durchaus wissen, ob die griechischen Schafe beh oder bäh geschrien haben, erschöpfen alles bis auf den tiefsten Grund, lassen nicht die kleinste Muschel liegen, waschen sie und beschauen sie von allen Seiten, kitzeln uns dann, wenn

ein Recenſent uns gründliche Gelehrſamkeit zu=
ſpricht, und werden nicht gewahr, daß unterdeſſen die Da=
men gähnend davon geſchlichen ſind.

Dieſe Betrachtungen veranlaßten mich, eine Skizze
von Griechenland und deſſen Bewohnern zu entwerfen,
für meine Frau, für meine Töchter, für liebe Freundinnen,
zu denen ich auch meine Leſerinnen zähle. Sie finden hier
den Kern der griechiſchen Alterthums=Kunde. Bei den
Damen muß man die Wißbegier blos durch die Einbil-
bungskraft wecken, und jede Materie, die dazu nicht geeig=
net iſt, wird nur ſchwache Spuren in ihrem weichen Ge=
hirn hinterlaſſen.

Aus dieſem Geſichtspunkt habe ich die Erzählung in's
Auge gefaßt. Sie iſt ſo gelehrt als irgend eine, aber ſie
hütet ſich, es zu ſcheinen. Ich führe die Damen nach Grie=
chenland, aber nicht zu einer Vorleſung, ſondern ich gehe
dort mit ihnen ſpaziren. In ſchönen Gegenden bleiben wir
ſtehen und ſchauen uns um; über Moor und Sand ſchlü=
pfen wir ſo ſchnell als möglich hinweg.

1. Die Geſchichte Griechenlands in einer Nuß.

Man hat zu allen Zeiten über den Ahnenſtolz geſpottet,
allein im Grunde könnten wir mit eben dem Rechte über
Unglückliche ſpotten, die als Krüppel auf die Welt kom=
men, denn auch der Ahnenſtolz iſt den Menſchen ange=
boren. Gleichwie Einzelne ſich mit Ahnen brüſten, ſo
rühmen ſich ganze Völker, Geſittete und Wilde, des Alter=

thums ihrer Herkunft. Diese Schwachheit bringt in der Regel mehr Gutes als Böses hervor; sie ist lächerlich, das schadet Niemanden; sie wird aber auch oft die Mutter schöner Handlungen, großer Thaten, so wie die Muschel die ihr vom Bohrwurm beigebrachte Wunde mit einer Perle überzieht. Die Egyptier, die Scythen, die Phrygier waren, ihrer Sage nach, mit der Erde zugleich aus des Schöpfers Hand hervorgegangen, die Arcadier behaupteten sogar, ihre Stammväter hätten die Erde noch ohne Mond gesehen. Schreiben konnte Niemand, folglich hatten die Sagen immer freien Spielraum.

Auch die Athenienser datirten ihren Ursprung von dem Schöpfungstage der Sonne. Ueberhaupt war es in den ältesten Zeiten ein gemeiner Volkswahn (und wer weiß, ob ein Irrthum?), daß die Menschen, gleich den Pflanzen, aus dem Schooße der Erde hervorgewachsen; darum nannten sie sich Söhne der Erde, die Athenienser sogar Grashüpfer, weil sie meinten, dies Insekt entstehe in der Erde; darum schmückten sie auch ihr Haar mit kleinen goldenen Grashüpfern. Männer, Weiber und Kinder trugen diesen Schmuck.

Gewissermaßen hatten die Athenienser Recht, sich für die Aeltesten im Lande zu halten, aber sie verdankten diesen Vorzug einer häßlichen Ursache. Ihr Boden nämlich war so unfruchtbar, daß keinem Fremden darnach lüsterte, während die Einwohner von Thessalien, vom Peloponnes und andern von der Natur mehr gesegneten

Ländern, ihre Herren jährlich wechselten, oder hin und her getrieben wurden. Also herrschte in Attica ein unge= störter Friede, und Niemand wollte regieren über seine Brüder, und Niemand begehrte einen größern Acker, als sein Nachbar besaß. Doch kein goldener Friede war es, kein Friede mit dem Füllhorn. Der Fleiß trotzte dem kar= gen Boden die karge Nahrung ab, und bald reichte diese nicht mehr hin für die angewachsene Volksmenge. Da geschah, was in jenen Zeiten so oft zu geschehen pflegte: man sandte Kolonien aus, und Attica bevölkerte nach und nach mehrere Gegenden von Griechenland. Die berühm= teste seiner Kolonien wurde Jonien in Klein=Asien. Jo= nien nannte man sie, weil die Athenienser vor uralten Zeiten den Namen Jones oder Jaones führten. Hier ließe sich bequem ein Bruchstück von Gelehrsamkeit ein= schalten; man könnte beweisen, daß Javan, der vierte Sohn Japhets, nach der babylonischen Sprachverwir= rung sich in Attica niedergelassen, und dann hätte man nichts weiter zu thun, als Javan in Jones zu verwan= deln. Oder man könnte einen Jon auftreten lassen (aber nicht den Schlegel'schen), der seinen Vater Deucalion be= raubte, und — mit dem gewöhnlichen Räuberglücke — dadurch eine Königstochter aus Attica zur Gemahlin er= warb. Doch in dieses Labyrinth von kindisch gelehrten Untersuchungen soll keine Dame sich verirren.

Lieber bekenne man aufrichtig, daß von dem Alter= thum der Griechen nur Fabeln und Sagen vorhanden sind, bis zum trojanischen Kriege, an dem auch noch Manche zweifeln. Ein gewaltiger Fürst, Ogyges, soll ein Zeitgenosse des Patriarchen Jakob gewesen sein, oder gar des Moses. Er ist der erste historische Denkstein bei den griechischen Geschichtschreibern. Worte, aus seinem Namen geformt, bezeichneten das Uralte, das Große, das Riesenmäßige; man sagte: ein ogygisches Alter, eine ogygische Macht, ein ogygischer Schwur, ein ogygischer Mensch (nämlich von Gestalt); man sagte aber auch eine ogygische Dummheit, ein ogygisches Unglück. Dieser Fürst soll zweiunddreißig Jahre lang sehr glücklich regiert haben, und dann plötzlich in einer großen Ueberschwemmung umgekommen sein.

Nach ihm herrschten Manche, von denen wenig oder nichts zu sagen ist. Der eine, Porphyrion, mag das schöne Geschlecht interessiren, weil er der Venus Urania einen Tempel erbaute. Ein anderer, Periphas, wurde in einen Adler verwandelt; vielleicht war er ein Eroberer, deren Sinnbild, statt des Geiers, ein Adler zu sein pflegt. Dann kam ein Draco, der die seltene Kraft besaß, mit den Zähnen Söhne zu erzeugen. Genug von solchen Mährchen. Wahrscheinlicher ist die Vermuthung eines alten Schriftstellers, daß Attica nach jener großen Ueberschwemmung fast entvölkert, ein paar Jahrhunderte hindurch ganz ohne Könige gewesen, denn in Wüsten schweigt die Herrschsucht.

Cecrops war der Erste, der das arme zerstreute Landvolk wieder sammelte, ihm Gesetze gab, sich einen König nannte, und wirklich ein König war, denn seine Macht begründeten Wohlthaten, sein Ansehen Tugenden. Er baute eine Stadt auf einen Felsen, und nannte sie Cecropia. Schon ihre Lage verhieß Schutz gegen feindlichen Ueberfall. Nach und nach mehrten sich die Gebäude rings um den Felsen, mit jedem Jahre liefen neue Straßen weiter in die Ebene hinaus, und so entstand Athen. Der Felsen — ursprünglich die Stadt — wurde eine Citadelle, und hieß fortan Acropolis.

Gelockt durch den Ruf des gerechten Königs, wanderten aus fernen Gegenden Fremblinge ein, um der Früchte seiner Weisheit theilhaftig zu werden. Ein Fürst, der auf diese Weise seine Unterthanen, wenn auch nur um Tausende mehrt, ist größer, als der gepriesene Held, der mit dem Schwerte Millionen unter das Joch beugt. Cecrops bezeichnete einen Ort, wohin jede Mannsperson einen Stein werfen mußte, und so ergab sich die Zahl von Zwanzigtausend, welche zu nähren der unfruchtbare Boden nicht vermochte. Aber Cecrops unterwies die freiwilligen Unterthanen in der Schifffahrt; und bald wimmelte sein Hafen von Schiffen, die Getreide aus Sicilien und Afrika brachten. — Vor ihm herrschte unter den Griechen die traurige Gemeinschaft der Weiber. Er machte sie bekannt mit dem schönsten Erdenglück, mit der ehelichen Liebe; er lehrte den Mann Befriedigung seiner Wünsche in den Armen Eines Weibes finden. — Er baute den Göttern

Altäre, und ging dem Volke durch Opfer und Tugenden
mit seinem Beispiele vor. Segen und Ruhm folgten ihm
in's Grab.

Unter seinem vierten Nachfolger lebte Triptolem,
der die Athenienser den Ackerbau lehrte. Auch hat die
Geschichte drei seiner Gesetze aufbewahrt: **Ehret eure
Eltern — Opfert den Göttern von euern
Früchten — Verletzet nicht lebendige Geschöpfe.**
Die Nothwendigkeit des Ersten dieser Gesetze scheint zu
beweisen, daß nach Cecrops Tode die Sittlichkeit zurück
geschritten war.

Unter dem achten Könige — er hieß Pandion —
brachen Meutereien aus, bei welchen die Geschichte ungern
verweilt, so oft sie auch ihre Feder in alten und neuen Zeiten damit besudeln muß. Seine Vettern stürzten ihn vom
Throne, seine Söhne rächten ihn; sein Nachfolger war ein
Fremdling und adoptirte einen Fremdling, Theseus,
der sich die Krone erkämpfen mußte. Dann befreite er die
Athenienser vom fremden Joche. Sie hatten vor Zeiten den
Sohn des cretensischen Königs Minos erschlagen, und
mußten es büßen durch sieben Knaben und sieben Mädchen,
die sie alle sieben Jahre nach Creta zu senden gezwungen
waren. Ein schimpflicher Tribut! — In Creta sperrte man
die unglücklichen Schlachtopfer in das Labyrinth, wo der
Mangel sie verzehrte, oder der Minotaurus sie verschlang.
Theseus ging selbst nach Creta. Die Leserinnen wissen, wie
Ariadne's Liebe ihm und seinen Gefährten die Freiheit

errang. Triumphirend kehrte er nach Athen zurück. Es war verabredet, im Fall eines glücklichen Erfolgs, eine weiße Flagge wehen zu lassen. Der alte König lebte noch und erklimmte täglich den Felsen, um das Schiff zu erspähen, welches seinen Liebling ihm wieder in die Arme führen sollte. Es erschien endlich, aber die Glück weissagende Fahne war aufzuziehen vergessen worden, eine schwarze Flagge wehte von des Mastes Spitze. Da stürzte sich der König in's Meer, und Theseus, der größte Fürst, der über Athen geherrscht, bestieg ohne Mitbuhler den Thron.

Durch Furcht und Ueberredung sammelte er die Bewohner von ganz Attica in Einer Stadt, Athen, und that — was so selten nachgeahmt worden, wovon gemeine Helden so oft das Gegentheil gethan — er entsagte freiwillig der obersten Gewalt, schuf eine Republik, wollte nur ihr Heerführer sein, und der Beschützer ihrer Gesetze. Die Götter befragte er zuvor, ob sein Beginnen heilbringend sei? — Theseus! antwortete das delphische Orakel: Deine Stadt wird über das Schicksal vieler Staaten richten. Sorge nicht, denn auf dem ungestümen Meere wirst du sicher, gleich einem Schlauche, schwimmen. Die Orakel waren, wie man sieht, nicht ekel in der Wahl ihrer Bilder. — Theseus baute nun das Prytaneum oder Rathhaus, dessen Trümmer man noch heute findet. Er lud alle Fremde ein, Athen's Bevölkerung zu vergrößern und die Vorrechte der ältern Bewohner zu theilen. Er schuf einen Adel, dem er

die Verwaltung der Gesetze und des Gottesdienstes anver=
traute. Aus Ackerleuten und Künstlern bestand das
übrige Volk. Doch nur den ersten Rang im neuen Staate
behauptete jener Adel, an Zahl den Künstlern, an Einkünf=
ten den Ackerleuten überlegen, sonst aber dem Geringsten
im Volke gleich.

Diese Verfassung bestand und beglückte, bis zum Tode
des Codrus, des siebzehnten und letzten Königs von
Attica, dem seine heldenmüthige Aufopferung gerechten
Ruhm erworben. Ein mächtiger Feind überfiel die Athe=
nienser. Man befragte das Orakel. Der Feinde An=
griff wird mißlingen, war die Antwort, wenn
sie euren König tödten. Alsobald beschloß Codrus
für sein Volk zu sterben. In Bauerkleidern drängte er
sich in's feindliche Lager, suchte Händel mit der Wache
und wurde niedergestoßen. Man erfuhr seinen Stand nicht
eher, bis die Athenienser einen Herold sandten, um den
Leichnam ihres Königs zu begehren. Da erschracken die
Feinde, des Orakels kundig, wurden muthlos und zogen
heim. In unsern Tagen, wo der König nicht mehr für
sein Volk, wohl aber das Volk für den König stirbt, wird
der Opfertod des Codrus als ein Mährchen angestaunt.
Auch die Griechen erkannten des Helden Größe, und lange
Zeit hieß bei den Nachkommen jeder hochgeachtete Mann
Codrus. Seinen Thron zu besteigen wurde hinfort keiner
für würdig gehalten. Die Athenienser wählten Archonten,
die doch anfangs auch erbliche Obrigkeiten waren, allein

XVI.   2

dem Volke Rechenschaft abzulegen verbunden. Medon, Sohn des Codrus, war der Erste von dreizehn auf ihn folgenden Archonten seines Stammes, die vermuthlich alle vortrefflich regierten, weil man nichts von ihnen aufgezeichnet findet; denn bekanntlich redet Niemand von dem glücklichsten Staate und von der besten Frau. Der Zeitraum, dessen Begebenheiten hier zusammen gedrängt worden, soll über tausend Jahre betragen haben.

Nach dieser Zeit gewann der Staat eine andere Gestalt. Es griff die Volksgewalt rasch um sich. Die Regierung der Archonten wurde auf zehn Jahre, und endlich auf ein einziges beschränkt. Der letzteren Archonten Einer war Draco, ein harter, grausamer Mann, der, um seiner blutigen Gesetze willen, verabscheuet wurde. Das kleinste Vergehen bestrafte er mit dem Tode. Wer einen Kohlkopf oder einen Apfel stahl, mußte, gleich dem Tempel-Räuber, sterben. Nicht mit Tinte, hieß es, mit Blut sind Draco's Gesetze geschrieben. Daß aber auch der Müssiggänger den Tod verschuldete, möchte kein verwerfliches Gesetz genannt werden, denn wer blos verzehrt, was Anderer Fleiß hervorgebracht, sollte mindestens verbannt aus der menschlichen Gesellschaft sein. — Wenn man diesen Draco selbst befragte, warum er so viel Blut vergießen lasse? pflegte er zu antworten: »Kleine Verbrechen sind des Todes würdig, und für größere kenne ich keine höhere Strafe.« — Kannte er denn nicht Männer unter seinem Volke, die den Tod der Schande vorzogen?

Doch nun trat Solon auf, dem des ganzen Volkes unbeschränktes Vertrauen die Macht ertheilte, den Staat und die Gesetze umzuschaffen. Damals war der Reiche über= müthig, der Arme gedrückt; Jenem gefiel die Monarchie, diesem die Democratie. Solon suchte schlau aller Wünsche zu vereinigen. Er theilte die Athenienser in vier Klassen, nach Maßgabe ihres Vermögens. Die letzte, ärmste Klasse erklärte er zwar für unfähig, Staatsämter zu verwalten; doch galten auch ihre Stimmen in öffentlichen Versamm= lungen, an die von jedem Urtheil appellirt werden konnte. So hielt er die Reichen im Zaume.

Nicht lange nachher wurde die Republik durch Einen jener Ehrgeizigen vernichtet, die, zum Fluch für ihr Volk und ihre Nachbarn, nur zu oft geboren werden. Pisistra= tus verwundete sich selbst, und ließ sich auf den Markt= platz fahren, wo er dem Volke seine Wunden zeigte, vor= gebend, er habe sie empfangen, um seiner Liebe willen für den Staat. Das erregte Murren und Mitleid. Man gab ihm eine Leibwache von fünfzig mit Streitkolben bewaff= neten Männern, und in diesem Augenblicke war des Volkes Unterjochung entschieden. Er warb Soldaten so viel ihm nöthig dünkte, bemächtigte sich der Citadelle und zugleich der Herrschaft; wurde zwar vertrieben, kehrte aber im Triumph zurück, und siebzehn Jahre genoß er die ge= raubten Früchte, von jedem rechtlichen Bürger verflucht, von seinen Raubgesellen hoch gepriesen. Auch dieses Bei=

2 *

spiel ist, wie so viele andere, für spätere Völker ohne Nutzen geblieben.

Zwei ihm ähnliche Söhne hinterlies der Tirann, Hip=
parchus und Hippias; jener wurde erschlagen, dieser
verjagt. Er floh nach Persien zum König Darius, an
dessen Heeres Spitze er in Attica eindrang. Da verewigte
Miltiades seinen Ruhm, Hippias seine Schande.
Bei Marathon schlug der Feldherr der Athenienser mit
wenigen Tapfern die zahlreichen, trotzigen Feinde, und
so eroberte Athen, nach achtundsechzig Jahren der Knecht=
schaft, seine Freiheit wieder.

Ein Menschen=Alter hindurch genoß es ihrer. Unter=
dessen hatte Xerxes den persischen Thron bestiegen, und
brannte vor Begierde, die Niederlage seiner Vorfahren zu
rächen. Mit mehr als anderthalb Millionen Kriegern
überschwemmte er Attica. Die Athenienser kehrten zagend
ihrer blühenden Stadt den Rücken, die Barbaren verwandelten sie in einen Aschenhaufen. Aber der Griechen Muth
blieb ungebeugt. Es standen große Männer unter ihnen
auf, wie überall in Zeiten der Gefahr: Themistocles
und Aristides. Bei Salamis wurde die persische Flotte
vernichtet, bei Platäa das Heer der Perser unter Mar=
donius. Zum zweiten Male wurden die Barbaren aus
ganz Griechenland vertrieben, und das verwüstete Athen
stieg aus seinen Ruinen prächtiger wieder empor.

Den tugendhaften Aristides, einen armen Mann
von geringer Herkunft, erhob das Volk zum Archon. Er

widerrief Solon's Gesetz, Kraft dessen die vierte, ärmste
Klasse von Staatsämtern ausgeschlossen blieb. Vielleicht
verleiteten ihn Dankbarkeit oder Irrthum zu diesem Schritte,
der nicht heilbringend war. Denn wenn auch während
seiner Verwaltung er jedem Mißbrauch vorzubeugen
wußte, so hatte er doch den Weg dazu gebahnt, den Pe=
ricles betrat, unter dem des Pöbels Hefe die Gewalt oft
an sich rieß. Wie aber auch im Innern der Staat zer=
rüttet sein mochte, so wirkte er doch immer fort mit großer
Kraft nach Außen. Wir haben in den neuesten Zeiten ein
ähnliches Beispiel gesehen. Durch eine mächtige Flotte wur=
den die Athenienser Herren des ägäischen Meeres, und der in
demselben gelegenen Inseln; zwangen die übrigen Griechen,
sich zu unterwerfen, oder doch mit ihnen zu verbünden;
breiteten ihre Eroberungen bis an Egyptens Küsten aus, und
zählten tausend Städte unter ihrer Herrschaft. Minder
glücklich waren sie in Sicilien.

Indessen wurde zu Athen des Pöbels Uebermuth den
rechtlichen Bürgern unerträglich. Sie spannen eine Ver=
schwörung an. Dem Volke wurde etwas kund davon, doch
Niemand kannte die Verschwornen, noch deren Anzahl.
Jeder fürchtete seinen Nachbar, und als vollends Einige
aus dem Volke, die heftigsten, jeder Neuerung ungeneig=
testen, ermordet wurden, da gerieth es in Bestürzung, von
der die Unthätigkeit unzertrennlich ist. Diese Stimmung
benutzend, bemächtigten sich vierhundert Männer der Re=
gierung, die zum Schein die alte Verfassung beibehielten,

doch bei öffentlichen Vorträgen dem Volke nur die Frei=
heit ließen, einzuwilligen, denn jeder Widersprechende
fiel unter den Dolchen unbekannter Mörder, denen Nie=
mand nachspürte. So befestigten sie ihr Ansehen, doch
nicht dauerhaft; denn die Flotte und das Heer, damals
bei der Insel Samos versammelt, trugen Abscheu von
solcher usurpirten Gewalt, und stellten den verbannten
Alcibiades an ihre Spitze. Die vierhundert Tirannen,
vom allgemeinen Haß zu Boden gedrückt, entsagten frei=
willig ihrer Herrschaft und gingen in's Exil.

Dennoch fiel die Gewalt dem Volke nicht wieder zu.
Fünftausend Männer erhielten sie, statt jener vierhun=
dert, deren Gehilfen sie gewesen. Das schien rechtlich, weil
ohnehin das Volk sich selten in größerer Zahl versammelte.
Schon die vierhundert hatten ihre Decrete nur im Namen der
fünftausend gegeben, weßwegen Plato scherzhaft sagte:
»Fünftausend, deren aber nur vierhundert
sind. Jetzt da sie wirklich die Macht besaßen, zu der sie
vorher den Namen nur geliehen, jetzt übertrugen sie dem
Heere die Regierung, und Alcibiades spielte, mit
Glück und Sieg gekrönt, die erste Rolle.

Nicht lange, denn des Volkes Unbeständigkeit verwies
ihn abermals in's Elend. Immer war seine Entfernung
verderblich für Athen gewesen, am meisten diesesmal. Durch
Sorglosigkeit und Verrätherei fiel die ganze Flotte dem
lacedämonischen Admiral Lysander in die Hände. Von
dreihundert Schiffen entkamen nur acht. Athen selbst

mußte den Spartanern sich ergeben, unter schimpflichen
Bedingungen. Die schützenden Mauern, welche den Hafen
(Piräus) mit der Stadt verbanden, mußten die Athenienser niederreißen, und ihre Seemacht auf zehn Schiffe
beschränken. Ja, der spartanische König Agis stimmte
sogar für die Meinung, die Stadt und ihr Gebiet gänzlich zu verwüsten. Lysander wandte es ab, sprechend:
»man soll Griechenland nicht Eines Auges berauben.«

Aber auf Begehren des Siegers mußte das Volk der
Herrschaft entsagen, und in die Hände von dreißig Männern, gewöhnlich die dreißig Tirannen genannt,
sie niederlegen. Diese Männer sollten die alten Gesetze der
neuen Verfassung anfügen. Sie begannen gerecht, wie
alle neue Regenten, bis ihre Macht fester gewurzelt, und
durch spartanische Leibwachen geschützt war. Dann ließen
sie jeden, ihnen abgeneigten Mann von Ansehen ermorden;
wählten, um sich zu verstärken, dreitausend ergebene Bürger für die untergeordnete Verwaltung; entwaffneten die
übrigen; beraubten die Reichen, und im Taumel ihrer blut-
bürstigen Macht, beschlossen sie, daß jeder Einzelne von
ihnen den Mann nennen solle, zu dessen Blut und Gütern
er Belieben trage. Da schauderte Theramenes, selbst
einer der dreißig und vormals ihr eifriger Verfechter. Seine
erwachte Menschlichkeit war ein Verbrechen; er wurde gezwungen den Giftbecher zu trinken, und man verhöhnte
noch den Sterbenden durch den Spottnamen Cothurn,
eine Art von Schuhen, die auf beide Füße paßten.

Doch die Nemesis schlummerte nicht. Siebzig Athenienser, die, durch freiwillige Verbannung nach Theben, sich der Tirannei entzogen .hatten, verschworen und bewaffneten sich, eroberten, von Thrasybul geführt, eine feste Burg der Athenienser, und ihre Zahl wuchs täglich, von der großen Schaar der Unzufriedenen gemehrt. Die Tirannen mußten nach Sparta fliehen. Thrasybul gab seinem Vaterlande Freiheit und Ruhe wieder. Conon schlug und vernichtete bei Cnidus die lacedämonische Flotte, und errang durch diesen Sieg auf's neue die Herrschaft über das Meer. Das Joch der Spartaner war nun zerbrochen. Athen strebte nach dem alten Glanze. Sein Glücksstern ging wieder auf. Inseln und Städte, vormals entrissen, kehrten gehorsam zurück. Athen wurde der mächtigste Staat in Griechenland, und blieb es, bis die Thebaner, durch ihres Epaminondas Weisheit und Tapferkeit, den ersten Rang ihm streitig machten. Aber Epaminondas fiel in der berühmten Schlacht bei Mantinea, und mit ihm die Größe der Thebaner. Denn gewöhnlich hängt der Völker Glück und Ruhm an dem Leben eines Mannes. Aber auch für Athen war des Helden Tod verderblich. Wer keinen achtungswerthen Feind mehr hat, erschlafft an Muth und Tugend. Trägheit und Ueppigkeit rissen ein. Man spottete der mäßigen Vorfahren, und verschwendete den Sold der Heere und Flotten für Spiele und Feste. Waffenübungen wichen den Schauspielen; ein geschickter Possenreißer galt mehr als ein erfahrner Feld-

herr. Wenn noch hie und da ein Nüchterner zu bemerken
wagte, daß die öffentlichen Einkünfte zu des Staates
Heil und Schutz verwendet werden müßten, so galt er
für einen Verbrecher und Volksfeind.

Gleich den Atheniensern versanken auch die übrigen
Griechen in weichliche Sicherheit. Diesen Zustand benutzte
Philipp, der König von Macedonien, ein Zögling des
Epaminondas und Pelopidas, um sein unberühmtes, unter=
würfiges Volk zur Herrschaft über Griechenland und Asien
zu erheben. Er entwarf den großen Plan, den er selbst doch
nur zum Theil, sein Sohn Alexander ganz ausführte.
Nach kurzem Widerstand schlug Philipp die Griechen bei
Chäronea und ihre Freiheit war für immer verloren.

Zwar gönnte ihnen der Sieger noch einen Schatten
derselben, um die Entwürfe seines kühnen Ehrgeizes zu
befördern. Oberfeldherr aller Griechen wollte er sein (gleich=
sam Protektor des griechischen Bundes), gegen
die Perser wollte er sie führen, mit seinem Heere vereint.

Philipp starb, und alsobald versuchten die Griechen,
das macedonische Joch abzuschütteln. Alexander bezwang
sie leicht und verzieh ihnen eben so leicht, denn auch er
brannte vor Begierde Persien anzugreifen, und seine Rach=
lust wich dem Ruhmdurst. So lange er lebte, wagten die
Griechen keine Empörung, murrten nur leise. Doch in der
Stille, als der Krieg in fernen Ländern ihn hielt, warben
sie Truppen unter Leosthenes, den sie befehligten, auf
den ersten Wink bereit zu stehen. Dieser Wink erfolgte auf

die erste Nachricht von Alexander's Tode. Krieg gegen
Macedonien war die allgemeine Losung. Aber die Ausge=
arteten wurden nochmals besiegt. Antipater, der Sieger,
drang Athen eine neue Regierungsform auf. Wer nicht
zweitausend Drachmen besaß, hatte kein Stimmrecht. Die
Mißvergnügten verbannte er nach Thracien. Etwa neun=
tausend Männer verwalteten nun den tief gesunkenen Staat.
Antipater's Nachfolger, Kassander, unterdrückte noch
einen Versuch der Griechen, die alte Freiheit wieder zu er=
langen, und setzte zu ihrem Regenten den Demetrius
Phalereus, aus Konon's Geschlecht, einen Schüler des
Philosophen Theophrast.

Athen wurde bald gewahr, daß ein Philosoph, und folg=
lich ein Menschenfreund, es regierte. Durch Mäßigung und
Gelindigkeit gewann er die Herzen. Die Einkünfte mehrte,
die Stadt verschönerte er durch prächtige Gebäude, erneuerte
den alten Glanz. Die dürftigen, aber dankbaren Bewohner
errichteten ihm dreihundert Bildsäulen nach der Anzahl
ihrer Jahrestage, vielleicht weil er jeden Tag durch eine
Wohlthat bezeichnete. Aber Viele haßten ihn dennoch, ohne
andern Grund, als weil er Kassander's Statthalter war.

Demetrius Poliorcetes, König von Macedonien,
trat auf, vorgebend, er wolle Griechenlands Freiheit schü=
tzen. Vergessen waren augenblicklich alle Wohlthaten des
Regenten (denn nur Einzelne, und auch die nur selten,
haben Gedächtniß für das empfangene Gute, ein Volk nie),
vertilgt jede Spur von Liebe zu ihm. Frohlockend nahm man

den neuen Helden auf, Demetrius Phalereus mußte flüch=
ten, abwesend verurtheilte man ihn zum Tode. Seine Bild=
säulen zerschlug, verkaufte man, oder begrub sie in der See.
Nur eine Einzige blieb übrig in der Burg, ein Denkmahl
des schimpflichen Wankelmuthes. Er starb in Egypten, wo
er Bücher schrieb und Bücher sammelte.

Demetrius Poliorcetes dachte groß genug — nur zu
unrechter Zeit — die democratische Regierungsform wieder
einzuführen. Er schenkte den Bürgern fünfzehntausend
Maß Weizen und Bauholz zu hundert Galeeren. Keine
Besatzung drang er ihnen auf, unbeschränkte Freiheit gab
er denen, die sie nicht mehr zu tragen vermochten. Ihre
ausschweifende Dankbarkeit beurkundete ihre Schwäche.
Den sonst so verhaßten Königstitel legten sie jetzt im Freu=
denrausch diesem Demetrius und seinem Vater Antigonus
bei; Schutzgötter und Befreier wurden sie genannt,
Opfer=Priester ihnen, gleich den Göttern, zugeordnet. Ihre
Gesandten sollten heilig sein, wie Jene, die zum pythischen
Apoll oder zum olympischen Jupiter geschickt wurden. An
dem Platze, wo Demetrius zuerst von seinem Wagen ge=
stiegen war, errichtete man Altäre, dem absteigenden
Demetrius; ja sie übertrafen noch, wo möglich, die skla=
visch gesinnten Völker unsers Jahrhunderts an niederträch=
tiger Schmeichelei.

Aber als das Glück ihm den Rücken kehrte, verließen
auch die Schändlichen ihren Retter, ihren Gott! ver=
schlossen ihm die Thore ihrer Stadt, und setzten Todesstrafe

auf den bloßen Vorschlag, sich mit ihm zu vergleichen. Ein gewisser Lachores, ein Mann des Volks, ergriff die Zügel, bis Demetrius mit unwiderstehlicher Macht erschien. Da mußte Lachores flüchten, um sein Leben zu retten. Die Athenienser unterwarfen sich und zitterten vor der Rache des Beleidigten. Großmüthig verzieh er ihnen, beschenkte sie mit einmalhunderttausend Scheffel Weizen, und wählte die beliebtesten Bürger zu öffentlichen Aemtern. Neuer Freudenrausch! neuer Taumel der Dankbarkeit! Die Ehrenbezeugungen waren erschöpft, durch Vertrauen wollte man nunmehr die Treue beweisen. Es wurde ihm vergönnt, starke Besatzungen in den Hafen und das feste Schloß Munychia zu legen, und Demetrius, durch Erfahrung belehrt, auf Volksgunst nie zu bauen, bediente sich dieser Vergünstigung zum Schutz gegen Wankelmuth. Früh genug erprobten die Athenienser abermals diesen ihren National=Charakter. Unglücksfälle hatten ihres edlen Regenten Macht verringert, und ein Volk ehrt nur die Macht. Sie empörten sich, übermannten seine Besatzung, entsetzten die Priester seiner Altäre, und erklärten sich für frei.

Im gerechten Unwillen belagerte Demetrius Athen, und hier geschah etwas in der Geschichte Einziges: ein Philosoph, Craterus, überredete den Helden, die Belagerung aufzuheben, und er ließ sich überreden, unterdrückte seine Rachbegierde, gönnte den Undankbaren die Freiheit. Erst sein Nachfolger, Antigonus, eroberte Athen und hinterließ es seinem Sohne, dem es durch eine neue Empörung, an deren Spitze Aratus stand, entrissen wurde. Die Geschichte ermüdet, das blutige und nichts= würdige Einerlei zu wiederholen.

Philipp von Macedonien züchtigte die Strafwürdigen, die weder zu gehorchen noch zu befehlen wußten, zerstörte ihre Tempel, riß ihre Prachtgebäude nieder, zerschlug sogar die Steine, um deren Wiederaufbau zu hindern. Athen's letzte Stunde hatte geschlagen, wenn nicht die Römer, zum Schutz herbei gerufen, Philipp's Rache hemmten. Unter diesem gefährlichen Schutze bewahrten nun die Griechen lange den Namen der Freiheit und waren römische Skla= ven. Freilich durften sie noch immer eigene Obrigkeiten wählen, eigenen Gesetzen gehorchen; freilich gab noch immer jeder Bürger seine Stimme; doch wer den Römern abgeneigt schien, war ein Verräther in ihren Augen, und ihre Rache ereilte ihn schnell. (Wem dünkt es nicht, er lese die Geschichte unserer Tage?) Tausend vornehme, gänzlich schuldlose Achäer mußten siebzehn Jahre zu Rom in Kerkern schmach= ten; nur dreißig erlangten endlich ihre Freiheit wieder, un= ter ihnen der Geschichtsschreiber Polybius.

In dieser Lage erschlichen Manche schmeichelnd die Gunst der Römer; andere schwiegen zaghaft und schwammen mit dem Strome; die Stimmen der wenigen Vaterlands= freunde verhallten ungehört oder erstickt. Was dem Willen der Römer zuwider geschah, dem widersprachen ihre Agenten und appellirten an den fremden Senat, dessen Aussprüchen die freien Schützlinge gehorchen mußten. Krieg durfte nicht beschlossen, Friede nicht unterhandelt, nicht einmal eine Vertheidigungs-Maßregel ergriffen werden, ohne Zustimmung jenes streng gebietenden Senats. Alle Abgaben, die er zu fordern für gut fand, mußten ohne Murren entrichtet werden. Ja, die römischen Beamten unter allerlei Titeln, schrieben eigenmächtig Kontributionen aus. Wurden die Klagen zu laut, so verbot wohl einmal der Senat den Unfug seiner Handlanger, doch wer, im Vertrauen auf solch Verbot, sich ihnen widersetzte, war und blieb ein Aufrührer. Trauriges Gemälde! das mit den grellsten Farben in unsern Tagen sich erneuert hat.

Von dieser Zeit, bis auf den Krieg der Römer mit den Parthern, zehrten die Athenienser still an der Erinnerung ihrer vormaligen Größe. Aber damals ergriffen sie aus Furcht, oder überredet durch den Philosophen Aristo, die Partei des Mithridates, und öffneten dessen Feldherrn die Thore. Da erschien Sylla vor ihren Mauern, belagerte und eroberte die Stadt, gab sie der grausamsten Rache Preis, und Blutströme flossen in allen Straßen. Der berühmte Hafen, Pyräus und Munychia, die Feste, wurden bis auf den Grund geschleift, die alten Denkmähler zerstört, die ganze Stadt mit Trümmern erfüllt.

In einem Grabesfrieden lebten die Bewohner nun wieder bis zu dem Bürgerkriege zwischen Cäsar und Pompejus. Dem letztern waren sie zugethan und büßten es abermals durch Plünderung und Verwüstung ihres unglücklichen Gebiets. Als die Macht des Pompejus ver-

nichtet war, unterwarfen sie sich dem Sieger, der, ihrer
tapfern Vorfahren gedenkend, Großmuth übte, und —
wie er sich ausdrückte — »um der Todten willen die Leben=
den begnadigte.« — Ein Funken der alten Liebe zur Frei=
heit sprühte nach Cäsar's Tode wieder auf, wo die Athe=
nienser die Bildsäulen des Brutus und Cassius, ne=
ben die ihrer eigenen Tirannen = Bekämpfer, Harmo=
dius und Aristogiton, stellten. Nach der Niederlage
von Cäsar's Mördern, schlossen sie sich dem Antonius an,
der die Beinamen, Liebhaber Griechenlands, Lieb=
haber Athens, für Ehrentitel hielt, und durch reiche Ge=
schenke, unter welche man sogar Inseln zählt, den Griechen
seine Gunst bewies.

Augustus, der Sieger, war minder großmüthig als
vormals Cäsar; er beschränkte ihre Vorrechte, und nahm
ihnen die Insel Aegina. Eine Empörung, die sie, gegen
das Ende seiner Regierung wagen wollten, wurde bald
gedämpft. — Trotz aller Verwüstungen, die Athen erlitten,
blühte es doch nach und nach wieder auf, und genoß, unter
Tiberius, noch mancher Vorrechte. Germanikus, der
adoptirte Sohn des Tiberius, Athen besuchend, verlieh
dessen Obrigkeit die Auszeichnung, einen Lictor mit dem
Beile, dem Zeichen der höchsten Gewalt, vor sich her treten
zu lassen. — So blieb es bis auf Vespasian, der Attica
und ganz Achaja in eine römische Provinz verwandelte.
Nun mußten die Griechen Tribut entrichten, und wurden
nach römischen Gesetzen regiert. — Einen Schatten der

Freiheit gab Nerva ihnen wieder, doch gehorchten sie einem römischen Prokonsul, der des Kaisers Gesetze hand= habte, Archonten ernannte, und die öffentlichen Schulen mit Lehrern besetzte. Kaiser Hadrian selbst war Archon, ehe er den Thron bestieg. Ihm war es wohl gegangen in Athen, er hatte die Menschen dort lieb gewonnen, darum erlangten sie, beim Antritte seiner Regierung, große Vor= rechte, milde Gesetze, kostbare Geschenke an Geld und Ge= treide, sammt der ganzen Insel Cephalonien. Er ließ die zer= störten Schlösser aus ihren Trümmern wieder empor steigen, verschönerte und vergrößerte die Stadt mit so herrlichen, zahl= reichen Gebäuden, daß sie Neu = Athen genannt, Theseus vergessen, Hadrian als ihr zweiter Stifter betrachtet wurde.

Seine Nachfolger, die Antonine, bestätigten und mehrten seine Wohlthaten. Antonin der Philosoph war selbst in Athen unterrichtet worden; zum Dank ver= willigte er den Atheniensern große Summen zum Unter= halt öffentlicher Lehrer in allen Künsten und Wissenschaften. Allein Severus — kein Philosoph, obschon auch in Athen erzogen — hatte ihnen Rache geschworen, wegen einer Beleidigung, die ihm in seiner Jugend dort wieder= fahren war. Daß der Zögling diesen Schwur sich erlaubte, mag verziehen werden; daß der Mann und Kaiser ihn er= füllte, und Athen fast aller Vorrechte beraubte, ist ein dunk= ler Flecken in seinem Charakter. — Valerian, günsti= ger gesinnt, verstattete den Wiederaufbau von Athen's Mauern, die, seit Sylla's Rache, drei bis vierhundert, Jahre im Schutt begraben gelegen.

Doch konnten diese Mauern die Stadt nicht gegen die Wuth der Gothen schützen, die sie eroberten, plünderten und alle Bücher zu einem Berge thürmten, um im gräßlichen Freudenfeuer die Schätze vieler tausend Geister empor lodern zu lassen. Es unterblieb jedoch aus dem seltsamen Grunde, damit die Griechen durch ihre Bücher von Waffenübungen möchten abgehalten werden.

Ein wackerer Mann, Cleobemus, war ihrer Wuth entflohen, sammelte ein Heer und eine Flotte, gewann eine Seeschlacht, und vertrieb die Barbaren aus dem Heiligthum der Musen. — Unter Constantin dem Großen blühte es wieder auf. Constantinus erweiterte Athen's Gebiet, auch durch mehrere Inseln im Archipelag. Noch einmal erfreuten sich die Athenienser eines milden Schicksals, bis Alarich der Gothen=König ganz Griechenland verwüstete. Zwar heißt es, ihm sei Minerva geharnischt erschienen, und Achilles, wie Homer ihn schildert, als er durch den Tod des Patroclus zur Wuth entflammt wurde, und diesen ehrwürdigen Erscheinungen habe Athen seine Rettung verdankt; allein gewisser ist, daß die Stadt des Theseus das Schicksal von ganz Griechenland theilte. Nichts in ihr blieb übrig — nach dem Zeugniß eines gleichzeitigen Schriftstellers — als Trümmer mit berühmten Namen. Sie glich — so sagte er — einem verzehrten Opferthier, von dem nur die Haut noch auf dem Opferplatze liegt.

XVI.   3

Eudoxia, die Gemahlin Theodosius des Zwei=
ten, war eine geborne Athenienserin, und um ihretwillen soll
dieser Kaiser Athen begünstigt haben. Auch Justinian be=
handelte es mit Wohlwollen. Doch nun verflossen beinahe
siebenhundert Jahre, in welchen die Geschichte ganz von der
ehemaligen Beherrscherin Griechenlands schweigt, vermuth=
lich, weil die Gefallene weder etwas that noch litt, was
der Nachwelt überliefert zu werden verdiente.

Erst im dreizehnten Jahrhunderte wird sie wieder ge=
nannt, doch ohne Ruhm. Sie ging aus einer Herrschaft
in die andere über, bis sie endlich den türkischen Kaiser
Bajazet für ihren Herrn erkannte. Ihn vertrieben die
Spanier, und wurden wiederum von einem Floren=
tiner vertrieben, der, ohne rechtmäßige Erben, die errun=
gene Gewalt durch ein Testament der Republik Venedig
vermachte. Aber sein natürlicher Sohn, der sich zum Be=
herrscher von Theben und Böotien aufgeworfen, verjagte
bald die Venetianer. Sein Geschlecht erhielt sich eine Weile,
doch nur berüchtigt durch Verbrechen. Der letzte desselben
hieß Francus und war der Mörder einer Fürstin seines
Stammes, deren Sohn von Mahomet dem Zweiten nicht
vergebens Rache heischte. Francus, von den Türken bedrängt,
flehte um Hilfe bei den Lateinern, welche einen zu hohen,
oder von ihm nicht abhängigen Preis begehrten. Seine
Unterthanen, griechische Christen, sollten der römischen
Kirche huldigen. Das zu bewirken vermochte Francus
nicht, und so übergab er Athen den Türken im Jahr 1455.

Noch heute wohnen und herrschen diese Eulen in den köst=
lichen Trümmern.

———

2. Die Stadt Athen.

Wenden wir den wehmüthigen Blick von den hohen
Gestalten, die leicht an uns vorübergeschwebt. Heften wir
ihn jetzt auf Athen in seiner Pracht und Blüte, als es noch
unter den Städten Griechenlands herrlich hervorragte, und
sein Umkreis zweiundzwanzig römische Meilen betrug.
Damals nannten die stolzen Athenienser ihren Wohnort
nur die Stadt, gleichwie die Franzosen sich die große
Nation zu nennen pflegen. Cecropia hieß sie ursprüng=
lich, den Namen Athen empfing sie von Minerven, ihrer
Beschützerin. Furcht vor Ueberschwemmungen gründete sie
auf der Felsenspitze, wachsende Bevölkerung und Verges=
senheit der Gefahr breitete sie aus in der anmuthigen Ebene.
Nur durch hölzerne Pfähle war anfangs die Burg befestigt,
daher das mißverstandene Orakel in dem Kriege gegen
Xerxes, hinter hölzernen Mauern sucht Schutz! so
hatte Apoll geboten, die Schiffe meinend. Aber die Athe=
nienser vertheidigten ihre hölzerne Burg und unterlagen
nach verzweifelter Gegenwehr.

Die ersten Lehrer der Baukunst waren die Tyrrhe=
nier. Zwei Brüder aus diesem Volke, Eurialus und
Hyperbius, lockten die Griechen zuerst aus ihren Höhlen
in freundliche Wohnungen. Ein anderes Volk, die Pe=
lasger (Störche, von ihrem beständigen Wandern also ge=

3 *

nannt), weilten auf einem ihrer Züge auch bei Cecropia, und bauten nördlich eine Mauer, auf der, nach ihrer Vertreibung, ein Fluch ruhte, wegen einer im Schutz derselben angezettelten Verschwörung; da durfte kein Gebäude errichtet, keine Schaufel in die Erde gestoßen werden. Cimon endlich umgab die ganze Burg mit einer starken Mauer, die Kosten bestreitend von der im persischen Kriege errungenen Beute. Pericles schmückte sie mit einem prächtigen Thore, zu welchem Stufen von weißem Marmor führten; die Halle trug Bildsäulen zu Pferde. In fünf Jahren wurde das Prachtgebäude vollendet und kostete über zwölfmalhunderttausend Goldgulden. Den Schlüssel zu dieser Pforte vertraute man nur einem Archonten, und zwar auch diesem nur auf Einen Tag.

Allein es ruhten auch in der Burg alle Heiligthümer, alle Schätze; es prangten da die herrlichen Tempel, die ehrwürdigen Denkmähler des Alterthums. Hier thronte die siegende Minerva in einem Tempel von weißem Marmor, ihn hatte Polygnot mit historischen Gemälden geschmückt; hier sah man den Ulyß, wie er das Palladium aus Ilium raubte; den Orest als Aegisth's Mörder; die Polyxena, wie sie an der Gruft Achill's geopfert werden sollte; hier bäumte sich ein Roß, das den stolzen Alcibiades, den Sieger bei Nemea, trug; hier schreckte das Medusenhaupt in des Perseus Faust. Am Eingang hatte Sokrates die bekleideten Grazien aufgestellt. — In der Mitte der Burg erhob sich ein zweiter Tempel Minervens, der jung=

fräulichen Göttin, darum Parthenion genannt. Ihn hatte die höchste Kunst aus dem kostbarsten Marmor geschaffen; er steht noch heute, obschon zu einer Moschee herabgewürdigt, und verewigt sind die Namen der Baumeister Callicrates und Ictians. Die Bildsäule der Göttin, von Elfenbein und Gold, war ein Meisterstück des Phidias. Das Gold, ein Schatz von vierzig Talenten, konnte abgenommen werden. Lachares raubte diesen Schmuck und trug ihn zu den Böotiern. In dem Parthenion stand auch der silberne Sessel, auf welchem Xerxes ein Zuschauer der Seeschlacht gewesen. Unter den Gemälden erblickte man Minerven mit Neptun streitend, und den großen Themistocles.

Im Tempel Neptun's betrachteten die Gläubigen einen Brunnen von Seewasser, den ein Schlag von des Gottes Dreizack hervorquellen lassen; und den heiligen Oelzweig, dem Minerva zu blühen gebot; und ihr vom Himmel gefallenes Bild von Olivenholz, vor dem eine ewige Lampe brannte. Hier beteten bekümmerte Sterbliche an einem der Vergessenheit gewidmeten Altare, oder Feinde söhnten sich auf seinen Stufen aus. Zwei Jungfrauen, Korbträgerinnen genannt, dienten im Heiligthum. — Nahe demselben verwahrte man den öffentlichen Schatz. Tausend Talente lagen stets für dringende Noth bereit, und wer es wagte, dieses Gold zu verschwenden, der verwirkte das Leben. Die Namen der Staats-Schuldner standen hier verzeichnet. Jupiter und Plutus waren die

Schutzgötter dieses Gebäudes. Aber ohne Furcht vor ihrer Rache gaben ungetreue Schatzmeister es den Flammen Preis, um der Rechenschaft sich zu entziehen.

Wer mag Alles Köstliche nennen und beschreiben, was der enge Raum der Burg faßte. Freundschaft und Scham hatten hier Altäre, Tugenden und Verbrechen fanden ihr Gedächtniß. Einen Tempel der Venus, oder vielmehr dem Hippolyt, hatte die liebende Phädra erbaut. — Ein Bild des Verräthers Hipparch, nun zu einer Schandsäule umgeschmolzen — ein Arsenal, das oft fünfzigtausend Pfeile und andere Waffen bewahrte — eine schwere Kugel von Erz, die Kräfte der Athleten zu versuchen, ehe man ihnen zu kämpfen vergönnte — eine Minerva aus Jupiter's Gehirn hervorspringend — ein den Minotaur bekämpfender Theseus — ein schlangenwürgender Herkules — die Erde, vom Jupiter Regen erflehend — erhabene Kunstwerke ohne Zahl.

Die Stadt in der Ebene umschloß die feste Burg Munychia, die beiden Häfen Phalereum und Piräus; den letztern verband mit Athen jene berühmte, fünftausend Schritt lange, doppelte Mauer von Quadersteinen, ohne Kalk, durch Eisen und Blei verbunden, vierzig Ellen hoch, mit kleinen Thürmen besetzt, die endlich, bei immer wachsender Volksmenge, in Wohnungen verwandelt wurden. Die nördliche Seite hatte Pericles, die südliche Themistocles erbaut. Dreizehn Thore führten in die Stadt, welche Homer die Breitstraßige nennt.

Unter den Gebäuden zeichneten sich aus: das Pom-
peon — Verwahrungsort der heiligen Geräthschaften,
deren man an feierlichen Tagen sich bediente. Auch Helden,
Dichter, Philosophen, fanden hier einen Ehrenplatz. Der
Künstler Lysipp stellte dort die Bildsäule des Sokrates
auf, Craterus die Gemälde mehrerer Dichter.

Vulkan's Tempel — ein öffentliches Gefängniß:
Der Tempel der himmlischen Venus, der Schutzgöttin
der Keuschheit und unbefleckten Liebe. Ihr Bild hatte Phidias aus parischem Marmor geschaffen. Ihre sittsamen
Verehrer flohen den Tempel der Venus Pandimos
(der allgemeinen), wo, selbst nach Solon's Gesetzen, Freudenmädchen schwelgen durften. — Die Tempel der Venus Lamia und Leäna beurkundeten blos die nieder-
trächtige Schmeichelei der Athenienser, denn sie wurden zu
Ehren zweier Beischläferinnen des Demetrius Poliorcetes
erbaut, dessen unwürdige Günstlinge man sogar unter die
Götter versetzte. — Des Theseus Tempel bot jedem
Armen eine Freistatt, der von einem Mächtigen verfolgt
oder gedrückt wurde. Durch dieses Vorrecht wurde Theseus
mehr noch geehrt als durch den Tempel, denn es sollte an
ihn, den Beschützer aller Bedrängten, erinnern. Die Zeit
selbst hat dieses Ehrendenkmahl respektirt; es steht noch, aber
freilich ist es jetzt dem heiligen Georg gewidmet. — Den
Tempel des Castor und Pollux hatten die berühmten
Maler, Polygnot und Micon, durch ihre Pinsel geschmückt.
Seltsam genug diente er zum Sklavenmarkt. Dahin berief

auch Pisistrat die Athenienser, als er sie entwaffnet, zu
Sklaven machen wollte. In seiner Nähe war ein heiliger
Platz, einem Mädchen gewidmet (der Tochter des Cecrop's);
wo die Jünglinge dem Vaterlande und den Göttern Treue
schwuren. — Das prächtigste Gebäude zu Athen war der
Tempel des olympischen Jupiter, vier Stadien
(2400 Fuß) im Umfang, daher mit Säulen gestützt; eine
bis dahin unbekannte Bauart. Pisistrat legte den Grund
zu diesem Tempel, aber erst siebenhundert Jahre
nach ihm, zu Hadrian's Zeiten, wurde er vollendet. Acht=
tausend Talente hatte er gekostet. Jupiter thronte darin
von Gold und Elfenbein geformt. Der ganze Tempel wim=
melte von Bildsäulen. — Apoll und Pan behalfen sich
mit einem Tempel, der in einer Grotte stand, wo, der
Sage nach, Apoll ein verliebtes Abenteuer mit der Creusa
bestanden. Mit der Benennung Tempel waren die Athe=
nienser freigebig wie man sieht. — Im Tempel der Diana
opferten junge Frauen ihre Gürtel nach der ersten Entbin=
dung. — Das Pantheon, den Tempel aller Götter,
trugen hundertundzwanzig Marmorsäulen mit darein
gegrabenen Göttergeschichten. Zwei herrliche Rosse des
Praxiteles bäumten sich über der Pforte, man hörte sie
schnauben. Das Pantheon steht noch. — So auch der
Tempel der acht Winde, eigentlich ein achteckiger Thurm
von Marmor, auf dessen Spitze ein Triton als Windfahne
sich drehte. — Der bedeckten Gänge gab es viele in Athen,
der merkwürdigste das Pöcile, also genannt von einer

Menge köstlicher Gemälde. Hier standen die Athenienser in Schlachtordnung gegen die Spartaner, dort kämpften sie gegen die Amazonen; hier wurde Troja zerstört, dort schlug Sophocles die Cither, u. s. w. Polygnot und Mycon hatten in der Kunst gewetteifert, dieser jedoch für Lohn, jener nur für die Ehre, gleichwie er schon einmal zu Delphos gethan, weßhalb er freie Bewirthung in ganz Griechenland genoß. Alle die herrlichen Gemälde trugen die Römer als Beute nach Rom; eine That, durch welche noch in unsern Zeiten gleicher Raub an Nationen und deren spätesten Nachkommen bemäntelt wird. Vor dem Pöcile prangten die Bildsäulen des Solon und Lykurg. Hier stiftete Zeno seine berühmte Schule, unter diesem bedeckten Gange, der früher Stoa hieß, lehrte der Philosoph, daher seiner Lehre und seinen Jüngern der Name Stoa, Stoiker blieb. — Das Museum, ein befestigter Platz, wo vormals der Dichter Musäus, des Orpheus Schüler, seine Lieder sang, und wo der Sänger auch begraben lag. — Das Odeum, ein Saal dem Gesange gewidmet, zeltförmig bedeckt. —

Unzählige Prachtgebäude faßte der große Platz, Ceramicus genannt. Hier war die Akademie; hier saßen die ehrwürdigen Areopagiten zu Gericht; hier stand das Rathhaus der fünfhundert Männer; hier opferten und speisten die Prytanen; hier sprudelte aus neun Röhren die Quelle Callirhoe; hier wallte das Volk in Tempel und Schauspielhäuser, und wohin es seine Blicke wandte, da prangten Bildfäulen von Göttern, Königen, Helden, Dichtern, Rednern und Philosophen. — Ein zweiter Cera-micus in der Vorstadt diente als Begräbnißplatz. — Unter den M ä r k t e n Athen's waren der a l t e und n e u e M a r k t die besuchtesten. Jener den öffentlichen Volksversammlun-gen, dem Kauf und Verkauf gewidmet. Hier sah man im bunten Gemisch Eßwaren und Sklaven, Zwiebeln und Frauenputz, Pferde und Bücher, Wein, Oel und alte Kleider, doch jede Gattung der Waren an einem für sie bestimmten Platze. Kaufleute und Handwerker versammel-ten sich hier auf einer Art von B ö r s e, denn auch die letz-tern bildeten zu Athen eine angesehene Klasse der Einwoh-ner, und wer es wagte, ein solches Gewerbe seinem Mit-bürger zum Vorwurf zu machen, der mußte vor Gericht die Beschimpfung büßen. Noch geehrter waren die Kauf-leute. S o l o n selbst trieb Handel. Auch T h a l e s, auch H i p p o c r a t e s der Mathematiker; ein Kaufmann stiftete Marseille, und P l a t o erwarb seine Reisekosten in Egyp-ten durch Oel=Verkauf. — Vor der Römer Zeiten kannte man zu Athen keine W a s s e r l e i t u n g e n, man behalf sich mit Brunnen. Hadrian war der Erste, der, zu vielen prächtigen Gebäuden, Denkmählern seiner Wohlthätigkeit, auch eine herrliche Wasserleitung fügte.

Den Ursprung der Gymnasien muß man in Sparta suchen. Aber sie verbreiteten sich schnell durch ganz Grie-chenland, wurden auch in Rom nachgeahmt, erweitert, verbessert. Es waren mehrere, aneinander hängende Ge=

bäude, Taufende zu faffen geräumig genug. Unter Säu=
lengängen verfammelten fich die Schüler, faßen da ein=
fam ftudirend oder befprachen fich. In einem Saal ent=
kleideten fich die Ringer, oder die fich baden wollten', in
einem andern wurden fie gefalbt, in einem dritten mit
Staub beftreut. Hier rangen die Jünglinge auf einem mit
Sand bedeckten Boden, dort schlugen fie den Ball. Hier
öffnete fich ein Raum für Spazirgänger, die auch wohl
verweilten, um den Discus werfen zu fehen. Warme und
kalte Bäder, zu Sparta beiden Geschlechtern gemeinschaft=
lich, wurden hier häufig befucht. In einem großen Halb=
zirkel, Stadium genannt, faßen die Zuschauer auf
amphitheatralisch geordneten Sitzen, durch allerlei Uebun=
gen in großer Menge herbeigelockt. Das berühmtefte Sta=
dium erbaute Lykurg am Geftade des Ilyffus, und Einer
der reichften Bürger von Athen, Herodes Atticus, erwei=
terte es. Es glich einem Gebirge von weißem Marmor.
Deffen Trümmer findet man noch heute.

Drei Gymnafien wurden vor allen zu Athen befucht,
Lyceum, Akademie und Cynofarges. In dem Er=
ften, dem Apoll geheiligt, lehrte Ariftoteles. Da ging er
täglich auf und nieder bis zu der Stunde der Salbung,
der Mittagsftunde, und von diefem Auf= und Niederwan=
deln nannte man ihn den Peripatetiker.

Die Akademie, ein reizender Spazirgang, ein
fchattiges Wäldchen, war zuvor ein Sumpf, den Cimon
austrocknete. Hier lehrte Plato feine Philofophie und

zog, durch ungesunde Luft, sich eine Krankheit zu. Die
Aerzte riethen ihm, einen andern Platz für seine Vorlesun=
gen zu wählen, doch er blieb wo er war, sprechend: die
Krankheit sei heilsam, weil ein zu gesunder Körper von
der Vernunft nicht mehr regiert werden könne.

Auch in der Cynosarge wurde eine philosophische
Sekte von Antisthenes gestiftet, die berüchtigten Cyni=
ker. Dem Halbgott Herkules war dieser Platz geweiht,
darum diente er denen zum Tummelplatz, die nur halbe
Athenienser waren, eine Fremde zur Mutter hatten. The=
mistocles, in gleichem Falle sich befindend, überredete meh=
rere Jünglinge, in deren Adern unverfälschtes athenienfi=
sches Blut floß, ihn dorthin zu begleiten, und suchte auf
diese Weise den Eifersucht erregenden Unterschied nach und
nach zu vertilgen. Auch ein Gerichtshof hielt hier seine
Sitzungen, erkennend über zweifelhafte Herkunft, oder ein=
geschlichene unechte Bürger.

Dem Bacchus und der Venus waren alle Schauspiele
gewidmet. Gern wollte man das geistreichste Vergnügen
aus der Hand der Götter empfangen, welchen man
schon Liebe und Wein verdankte. Die meisten alten
Bühnen standen nur kurze Zeit, waren bloße Bretterbu=
den, in welchen die Sitze der Zuschauer stufenweise über=
einander sich erhoben. Als aber einst die Edlen und das
Volk von Athen sehr zahlreich versammelt waren, um ein
Trauerspiel des Pratinos anzuhören, stürzte das schwache
Gebäude zusammen, und begrub viele unter den Ruinen.

Seitdem erbaute man die Theater von Stein, größtentheils
von Marmor, und sie übertrafen bald an Pracht und Größe
fast alle übrigen Gebäude Griechenlands. Die Halbzirkel=
form war die Beliebteste. Der Platz, wo die Schauspieler
sich zeigten, hieß die Scene, anfangs nur von belaub=
ten Zweigen gebildet, später mit reichen, köstlichen Vor=
hängen verziert. Die Verwandlung der Decorationen ge=
schah durch Drehen oder Aufziehen. Drei Oeffnungen
hatte die Scene. Durch die mittlere, größte, erblickte man
Tempel oder Paläste; die kleinere zur linken zeigte niedrige
Gebäude. Vermittelst allerlei Maschinen wurden Götter
und Menschen auf die Bühne geschoben. Dann gab es auch
ein Orchester, wo der Chor zu tanzen und zu singen pflegte;
einen Platz unter dem Fußboden, wo man durch Gefäße
mit Steinen gefüllt den Donner nachahmte; Ankleidezim=
mer für die Schauspieler, eine Abtheilung für die Musik
und dergleichen mehr. Jeder Ort hatte seinen bestimmten
Namen, von welchen Einige noch bei uns gebräuchlich,
z. B. Proscenium, Orchester. Der Versammlungsort
für die Zuschauer hieß Koilon, und erhob sich in drei
Abtheilungen. Unten saßen die Vornehmen, in der Mitte
das Volk, und oben die Frauenzimmer. Ein breiter Absatz
bezeichnete den Anfang jeder Abtheilung, unter demselben
standen glockenförmige eherne Gefäße, um den Schall zu
verstärken, da die Bühnen unbedeckt waren. Um aber doch
vor Regen und Sonne zu schützen, spannte man große
Segel aus, und um die Hitze zu mäßigen, leitete man,

durch zahllose kleine Röhren, wohlriechendes Wasser bis in die Höhe, wo es von da stehenden Bildsäulen wie ein Thau herabgespritzt wurde, kühlte und erquickte. An das, was wir Parterre nennen, stießen Säulen-Gänge (Porticus), wo man bei jeder Witterung einen angenehmen Spaziergang fand. — Uebrigens wurden, wie noch heute, schlechte Schauspieler ausgepocht und ausgezischt.

3. Die Bewohner von Athen.

Schwebt den Leserinnen nun ein Bild von der prächtigen Stadt Athen vor, so mögen sie Bekanntschaft mit deren Bewohnern machen. In drei Klassen wurden diese getheilt: freie Bürger (sie regierten den Staat), Fremblinge oder Schutzverwandte und Sklaven, der letztern Zahl war die größte, denn jeder Bürger ließ von mehreren Sklaven sich bedienen. Wenig über zwanzigtausend Bürger und halb so viele Fremblinge herbergte Athen, aber viermalhunderttausend Sklaven. In den ersten Zeiten war es leicht, das Bürgerrecht zu erlangen, doch als der Ruhm der Athenienser durch ihre Thaten wuchs, da wurde diese Gunst nur solchen zu Theil, die durch hohe Abkunft oder ausgezeichnete Verdienste deren würdig schienen. Menon der Pharsalier hatte mit zweihundert Reitern in einem Kriege für Athen gefochten, und dennoch wurde sie ihm versagt. Perdiccas, der König von Macedonien, hatte Beistand gegen die Perser geleistet, und dennoch wurde er bloß von dem Tribute frei gesprochen, den die zu Athen

wohnenden Fremdlinge erlegen mußten. Die ganze Stadt
Platäa hingegen empfing das Bürgerrecht für Treue und
Muth im persischen Kriege. Auch berühmte Männer, un=
ter ihnen der Arzt Hippocrates, erwarben leichter diese
Gunst. Sonst aber mochten sie, nach Solon's Gesetz, nur
diejenigen erlangen, die aus ihrem Vaterlande auf ewig
verbannt, oder in Athen, ein Gewerbe treibend, sich häus=
lich niederließen. Sechstausend Bürger mußten ihre Zustim=
mung ertheilen. Es geschah geheim, durch kleine Steine
in Urnen geworfen. Selbst diese sechstausend Stimmen
konnte das Gericht noch widerrufen, wenn es, den Wandel
des Aufzunehmenden prüfend, ihn der Ehre unwürdig fand;
ein Schimpf, der Mehrere traf. Wurde aber die Volks=
wahl bestätigt, so genoß der neue Bürger alle Vorrechte
der älteren; nur zu gewissen frommen Feierlichkeiten, die
einigen Geschlechtern (z. B. den Eumolpiden) eigen
waren, und zu den Geschäften der neun Archonten wurden
sie nicht zugelassen.

Pericles gab später ein Gesetz, daß nur diejenigen
für freigeborne Athenienser zu halten seien, deren beide
Eltern frei gewesen. Seine eigenen Söhne genossen dieses
Vorzuges, darum achtete der harte, eigensüchtige Mann es
nicht, daß, durch entlockte Volksbilligung seines Vorschla=
ges, fünftausend Athenienser auf einmal ihrer Freiheit be=
raubt, als Sklaven verkauft wurden. Die Zahl der nun=
mehr echt befundenen Bürger betrug noch vierzigtausend.
Als aber das Schicksal, um den Gesetzgeber zu prüfen, ihm

seine rechtmäßigen Söhne durch den Tod entriß, da trat
er trauernd unter das Volk und erbettelte für seinen unech=
ten Sohn eine Ausnahme von dem selbst entworfenen har=
ten Gesetze. — Der halbe Athenienser, wie Themistocles,
durfte, wenn er auch Bürger war, kein Gymnasium be=
treten (die Cynosarge ausgenommen) und wurde sonst noch
auf allerlei Weise von seinen ganzen Mitbürgern unter=
schieden. Wer, ohne gültigen Beweis, des Bürgerrechts
sich angemaßt, wurde als Sklave verkauft. Streng unter=
suchten die Richter. Ausländer, jenes Verbrechens beschul=
digt, wurden sogleich in Ketten geschlagen. Selbst eines
Vaters eidliche Versicherung, daß seine Kinder ehelich er=
zeugt, oder rechtmäßig adoptirt worden, galt nicht immer
unbezweifelt. In ein öffentliches Buch mußten ihre Na=
men, mit Zustimmung der Obrigkeit, eingetragen werden.

Eine zweite, von Cecrops herrührende Eintheilung der
Athenienser, war die in vier Stämme, die zu verschie=
denen Zeiten verschiedene Namen trugen, auch bei wach=
sender Bevölkerung bis auf zehn und zwölf vermehrt
wurden. Anfangs zählte man zu jedem Stamm dreißig
Geschlechter, deren jedes wiederum aus dreißig Männern
bestand. Durch öffentliche Gastmähler, dieses wirksame
Vereinigungsmittel unter allen Völkern, suchte Solon die
Stämme unter sich immer näher zu verbinden. — Gleiche
Sitte ungefähr herrschte zu Sparta, dessen Bürger, geborne
und aufgenommene, in sechs Stämme getheilt waren.

Den Schutzverwandten war vergönnt, in Athen

zu wohnen, doch keine Aemter konnten sie verwalten, keine Stimmen geben, mußten den Landesgesetzen gehorchen. „Ich nenne sie die S p r e u der Städte," sagte Aristophanes. Ihre Geschäfte durften sie nur im Namen eines Bürgers betreiben, den sie gleichsam zum Schutzpatron wählten. So erfleht beim Terenz T h a i s den Schutz der Familie P h ä = d r i a. An einem Feste der Minerva mußten die fremden M ä n n e r kleine Schiffe tragen, zum Zeichen ihrer Ueber= kunft aus fremdem Lande, und die Weiber Wasserkrüge, auch wohl S o n n e n schirme über den Köpfen der echten, hochmüthigen Bürgerinnen. Auch einen jährlichen Tribut mußten sie erlegen, von dem nur die Söhnegebährenden Weiber befreit blieben. Wer nicht zahlte, wurde ohne Er= barmen auf den Markt zum Verkauf geführt; ein Schick= sal, das sogar den Philosophen Xenocrates bedrohte, hätte nicht Lykurg ihn gerettet. — So war der Zustand der Schutz= verwandten eben nicht beneidenswerth, doch ausgezeichnete Verdienste erkannten die Athenienser auch bei Fremdlingen willig an, und vergalten sie durch Befreiung von allen Auflagen, nur diejenigen ausgenommen, denen die Bür= ger selbst unterworfen waren.

Die dritte, zahlreichste Klasse der Einwohner Athen's theilte sich in K n e c h t e und eigentliche S k l a v e n. Die K n e c h t e, ursprünglich freigeborne Männer, vermiethe= ten sich zwar um Lohn, und hatten ihrer Armuth wegen kein Stimm=Recht, allein sie konnten doch ihre Herren nach Belieben wechseln, oder, wenn sie durch Fleiß etwas er=

XVI.   4

worben, sich von der Knechtschaft gänzlich befreien. — Die Sclaven hingegen gehorchten blos der Willkür ihrer Herren, an deren Güter sie für immer gefesselt waren, muß= ten die niedrigsten Arbeiten verrichten, litten oft Hunger, wurden gefoltert und getödtet, ohne daß jemals Rechenschaft von dem Peiniger gefordert wurde. Ihnen blieb keine Hoff= nung der Erlösung. Auf ihre Kinder vererbten sie blos ihr Elend. Ja, diese hoch verfeinerten, für Freiheit glühen= den, Griechen erlaubten sich schamlos jedes Mittel, um jene Unglücklichen moralisch herabzuwürdigen. In steter Entfer= nung wurden sie gehalten, nie sprach man zu ihnen ein trauliches Wort, nie scherzte man mit ihnen; jeder Funke von erhabenen Gesinnungen wurde durch die niedrigste Erziehung, durch harte Arbeit und Geißelhiebe geflissent= lich erstickt. Das Vieh schätzte man höher als sie. Die treue= sten Diener ließ man im Alter verhungern.

Was nur irgend einen freien Mann bezeichnete, mußte der Sklave meiden. Das Haar durfte er nicht wachsen lassen, sein Rock hatte nur einen Ermel. Der Salben und Wohlgerüche mußte er sich enthalten. Die Knabenliebe, dieser seltsame Hang der vornehmen Griechen, war ihm verboten. Sein Zeugniß galt nicht vor Gericht. Durch die grausamste Folter, auf der er oft die gequälte Seele aus= hauchte, erpreßte man Geständnisse von ihm. Die mancherlei höllischen Gattungen der Folter beschreibt uns Aristophanes in den Fröschen. »Greif diesen Knecht,« spricht dort Xanthias, »und zwinge ihn zum Geständniß.« Auf des

Aeacus Frage? »wie?« erwiedert Xanthias: »bind'
ihn auf die Leiter, hänge ihn auf, haue ihn mit der Peitsche,
geißle ihn, foltre ihn, gieß ihm Essig in die Nasenlöcher,
belaste ihn mit Ziegelsteinen u. s. w.« Nicht einmal bei
jedem Götterdienst durften die unrein geachteten zugegen
sein. Athen verschloß ihnen den Tempel der Eumeniden,
Rom den des Herkules. — Und dennoch — den göttli=
chen Funken im Menschen kann der Mensch nicht ganz er=
sticken — dennoch gab es dann und wann hohe Seelen
unter diesen Sklaven, die sich aus der Verworfenheit mit
Gewalt herausarbeiteten, durch Weisheit, Tugend und Ge=
lehrsamkeit ihre Herren beschämten oder gewannen, die Götter
versöhnten, die Musen sich befreundeten. Wer kennt nicht
den armen, ungestalten Aesop? den Dichter Alcmann?
und den Sittenlehrer Epictet? Wen rührt nicht des
Letztern Epigramm: »Ich Epictet, war ein Knecht, am Kör=
per gebrechlich, und arm wie Irus, aber doch ein Liebling
der unsterblichen Götter.« —

Ein unter Bürgern üblicher Name durfte, ohne Be=
schimpfung desselben, keinem Sklaven beigelegt werden.
Harmodius und Aristogiton, die Namen zweier be=
rühmter Vaterlandsvertheidiger, waren sogar durch ein
ausdrückliches Gesetz den Sklaven untersagt. Gewöhnlich
nannte man sie blos nach ihrem Vaterlande, der Syrier,
der Lydier u. s. w., oder man gab ihnen dort gemeine
Namen. (Die meisten Sklaven zu Athen hießen Geta
oder Davus, von den Völkern der Geten und Dacier.)

4 *

Nicht mehr als zwei Silben mußten sie haben, wie bei
den Hunden. Daher, als einst Demosthenes einem gewissen
Aeschines den Vorwurf machte, sein Vater sei ein Sklave,
fügte er als Beweis hinzu, er habe seinen Namen Tro=
mes in Atrometus verwandelt.

Bei solcher Behandlung einer Menschengattung, die
an Zahl ihre Peiniger so weit übertraf, war es freilich weise
von den Letztern, daß sie den Gepeinigten das Tragen
der Waffen streng verboten, und sie vom Kriegsdienst
ausschlossen. Nur in großer Gefahr, wenn der Staat keine
andere Rettung mehr sah, bewaffnete man sie. Zum ersten
Mal geschah es, als die Perser unter Darius die Athenienser
bekriegten. Diesem Beispiel folgten andere griechische Staa=
ten doch stets mit großer Behutsamkeit. Die Spartaner be=
waffneten einst zweitausend Heloten (so hießen ihre Skla=
ven) gegen die Macedonier, wagten es aber nicht, deren
Mehrere aufzustellen. Fast ein Wunder scheint es, daß
diese Sklaven selten oder nie einen Versuch gewagt, ihre
Ketten zu zerbrechen. Nur der Spruch Homer's erklärt dies
Wunder: »die Hälfte der Tapferkeit nimmt der lautdon=
nernde Jupiter dem, der in Knechtschaft gerathen ist.«

Einmal sollen sich die Sklaven zu Athen einer Veste
bemächtigt, und das ganze Land verwüstet, doch am Ende
nur den Tod, oder ein härteres Joch errungen haben. Durch
die Flucht entzogen sie nicht selten sich ihrem Elend, und
gingen über zu den Feinden. Ertappt wurden sie auf einem
Rade gefoltert. Gleiche Strafe litt der Dieb. Sonst züch=

tigte man sie mit der Geißel, oder sandte sie, bei größeren
Vergehen, in die Mühle; denn zu jener Zeit, wo noch
alles Korn gestampft werden mußte, war diese Arbeit
eine der beschwerlichsten. Auch das Brandmarken war
eine sehr gewöhnliche Strafe. Meistens geschah es an der
Stirn, oft auch an dem Theile des Leibes, mit dem der
Sclave gesündigt hatte. Den Fresser brandmarkte man auf
den Bauch, dem Verleumder schnitt man die Zunge aus.
Solche gezeichnete Menschen nannte Aristophanes mit gräß=
lichem Spott Perlhühner.

Auch diese Strafe hatte sinnreiche Abstufungen. Für
die höchste Beschimpfung galt, wenn Buchstaben ein=
gebrannt wurden, daher der Schimpf des heutigen Ehren=
titels, Literatus. Daß aber nur die öffentliche Meinung
Ehre oder Schande mit gewissen Zeichen verbindet, be=
wiesen zu gleicher Zeit die Thracier, die, nach Herobot's
Zeugniß, nur Standes=Personen vergönnten, sich Buch=
staben einzubrennen. Die Griechen bedienten sich oft auch
dieses grausamen Mittels, ohne andern Grund, als um
vielleicht künftig einen entlaufenen Sklaven leichter zu
erkennen.

Die Athenienser zeichneten sich doch durch eine Art von
Menschlichkeit gegen ihre Sklaven vor den übrigen Grie=
chen aus, denn einem zu hart bedrückten stand des The=
seus Tempel als Freistatt offen. Wer ihn da wegzureißen
wagte, schändete das Heiligthum. Hier durfte der Unglück=
liche zwei Klagen gegen seinen Henker erheben: wegen ver=

54

letzter Keuschheit oder wegen allzu harter Behandlung. Dadurch erlangte er, nach geführtem Beweis, daß der alte Peiniger an einen neuen Peiniger ihn verkaufen mußte; weiter nichts. —

Aber auch die Zunge des Sklaven war in Athen minder gefesselt als im übrigen Griechenland, das beweisen die Lustspiele des Aristophanes, Plautus und Terenz. Da nun eines der köstlichsten Menschen-Rechte darin besteht, reden zu dürfen, so wurde durch dessen freiere Uebung die Sklavenkette sehr erleichtert. Der freie Genuß manches Vergnügens war ihnen zu Athen, und nur zu Athen vergönnt, daher Demosthenes einst den Zustand eines athenensischen Sclaven höher pries, als den eines Bürgers in andern Städten, und Plautus verwunderte sich, daß auch diese Knechte essen, trinken und lieben durften, gleich freien Atheniensern. — Erwarb der Sklave so viel, daß er seine Freiheit erkaufen konnte, so durfte der Herr ihm das nicht weigern. Lange treue Dienste pflegte man auch wohl durch Freilassung zu belohnen. War dem Staate ein wichtiger Dienst durch einen Sklaven geleistet worden, oder hatte der Sklave die Waffen rühmlich für den Staat getragen, so vermittelte dieser dessen Freiheit. So zum Beispiel nach der Seeschlacht bei Arginusä, wo die Athenienser, mit Hilfe ihrer tapfern Sklaven, die Lacedämonier schlugen, und aus Dankbarkeit ihre Kampfgesellen für freie Männer erklärten. Darum klagt beim Aristophanes der Sklave Xanthias, unter einer schweren Bürde fast erliegend: »Ach

ich Unglücklicher! warum hab' ich nicht mit zur See ge=
fochten!" — Indeffen war die erlangte Freiheit doch nur
in feltenen Fällen mit dem Bürgerrecht verknüpft," denn
es ist unanständig," fo befchweren fich die Bürger beim Ari=
ftophanes, »daß die, die einmal zur See gefochten, plötzlich
aus Knechten Herren werden." — Nur die Rechte der
Schutzverwandten erlangten die Freigelaffenen, mußten
gleichen Tribut entrichten, den alten Herrn als Patron
verehren, ihm treu und gefällig bleiben; wo nicht, fo durfte
er fie verklagen und wohl gar auf's neue in die alten Feffeln
fchmieden. Hingegen durfte auch der Freigelaffene von dem
Patron Achtung und glimpfliche Behandlung fordern; ein
Sachwalter vertrat ihn vor Gericht.

So gut wurde es den Sklaven im übrigen Griechen=
land nicht. Es war zu Sparta eine gewöhnliche Redens=
art: »hier ift der Freie am freiften, der Sklave am meiften
Sklave." — Die Heloten waren vormals die Bewohner
einer von den Spartanern eroberten Stadt Helos, die
fämmtlich von dem Sieger zu ewigen Feffeln verdammt
wurden. Der freie Bürger zu Lacedämon trieb kein Ge=
werbe, denn es war ihm fchimpflich. Er fchmaufte, jagte,
fchwatzte in feinen Klubbs, während die Heloten für ihn
den Acker bauen, und jedes Lebensbedürfniß herbei fchaffen
mußten. Glücklich noch hätte man fie preifen mögen, wäre
nur durch milde Behandlung ihr Fleiß vergolten worden,
aber fie feufzten unter dem härteften Drucke. Es wurden
fogar, Kraft eines geheimen, in der Hölle erdachten Ge=

ſetzes, von Zeit zu Zeit Jünglinge mit Dolchen bewaffnet,
ausgeſandt, die bei Tage in Klüften und Gebüſchen ſich verbargen, bei Nacht auf den Landſtraßen jeden Heloten ermordeten, der, von ſeiner ſauren Arbeit heimkehrend, das Unglück
hatte, ihnen zu begegnen. Auch am hellen Tage überfiel man
ſie bisweilen auf den Feldern, und miſchte ihr Blut mit ihrem
Schweiße. Wenn die Obrigkeiten, E p h o r e n genannt, ihr
Amt antraten, ſo pflegten ſie den Heloten d e n K r i e g zu
e r k l ä r e n, und meinten, durch dieſes elende Gaukelſpiel
ein R e c h t zu jenen Mordthaten zu begründen.

Ein Beiſpiel vor allen bedeckte die Spartaner mit ewiger Schande. Zweitauſend Heloten wurden, treuer Dienſte
wegen, in Freiheit geſetzt, öffentlich gekrönt, um alle Tempel
geführt, und — plötzlich v e r ſ c h w a n d e n ſ i e A l l e!
nie erfuhr man, wie und wo ſie ihr Leben geendet. —
Keine Art der Erniedrigung wurde den unglücklichen Heloten erſpart. Man zwang ſie mit Gewalt zum übermäßigen
T r u n k, um dann die Taumelnden in die öffentlichen
Hallen zu führen, den Kindern zu Lehre und Spott. Un-
ſittliche Tänze mußten ſie aufführen und abgeſchmackte
Lieder ſingen. Ein ernſtes Lied hielt man durch ihren Mund
entweiht. So verſanken ſie in die tiefſte Schmach, aus der,
ſelbſt fern von ihren Henkern, ſie den Nacken nicht zu erheben vermochten. Als die Thebaner einſt viele Heloten
gefangen, begehrten ſie umſonſt von ihnen, die zu Sparta
beliebten Oden des Terpander oder Alcman zu ſingen, denn
zitternd ſprachen die Heloten: »wir dürfen nicht, es ſind

die Lieder unserer Herren." — Noch trauriger — wo
möglich! — soll zu Sparta das Los der überwundenen
Messenier gewesen sein.

Von dem dreifachen Ursprunge der Sklaverei in Grie=
chenland ist der Eine schon berührt worden. Die meisten
dieser Elenden waren Kriegsgefangene. Aber auch die Ar=
muth zwang Viele, sich selbst zu verkaufen. Noch Andere,
oft von guter Herkunft, wurden gestohlen und als Sklaven
feil geboten. Die Thessalier besonders wurden dieser Schänd=
lichkeit bezüchtigt. Darum fragt beim Aristophanes die Ar=
muth: woher wirst du Sklaven bekommen? —
und Chremylus antwortet: »ich werde sie kaufen." —
Von wem? — »von einem Sklavenhändler aus Thessalien,
woher die meisten Menschenräuber kommen." —

Wer einen Freigebornen verkaufte, wurde, dessen über=
wiesen, freilich hart bestraft, aber eine Tochter oder Schwe=
ster, im verbotenen Umgang ertappt, durfte man rechtlich
zur Sklavin machen.

Zu Ephesus und auf den Inseln Samos und Cypern
blühte der gräßliche Sklavenhandel. Da bezahlte man
fünfhundert Drachmen für einen schönen oder geschickten
Knecht, noch mehr für einen Verschnittenen. Zu Athen
führte man die Sklaven am ersten Tage jedes Monats auf
den Markt; dann trat der Ausrufer auf einen Stein und
rief das Volk zusammen. Dem neuen, in das Haus gebrach=
ten Sklaven zum Willkommen, wurde ein Gastgebot ver=
anstaltet, man überschüttete sein Haupt mit Früchten, faßt

möchte es scheinen spottweise. — Kaiser Hadrian war der
Erste, der den Herren die gräßliche Befugniß nahm, ihre
Sklaven zu ermorden, ohne Rechenschaft geben zu dürfen.
Unter Nero und andern grausamen Beherrschern Rom's
mußten die Herren, nothgedrungen, ihre Sklaven milder
behandeln, aus Furcht, von ihnen als Uebelgesinnte ange=
klagt zu werden. Es ist merkwürdig, daß, nicht allein in
Griechenland und Rom, sondern überall die Herrschaft der
Tirannen den zuvor unterdrückten Volksklassen heilsam
war. — Die Ausbreitung der christlichen Religion be=
schränkte gleichfalls die Willkür harter Herren. Kaiser
Constantin verbot, die Sklaven an der Stirn zu brand=
marken. Nur ein Täfelchen mit einer Inschrift durfte man
ihnen um den Hals hängen. Eine solche, noch aufbewahrte
Inschrift lautete zum Beispiel so: »Halte mich, denn ich
bin entronnen, und liefere mich meinem Herrn, dem Bo=
nifazius Linarius, wieder aus.«

   Nicht Menschlichkeit allein bewog die Christen zu jener
Milde, sondern wohl vorzüglich das Bestreben, Neube=
kehrte zu gewinnen, und wer mochte williger dazu gefun=
den werden, als ein solcher Unglücklicher, der seinen Zu=
stand zu verbessern hoffte? —

4. Die Obrigkeiten.

   Jetzt werfen wir einen Blick auf Athen's Obrigkeiten.
Sie wurden im Tempel des Theseus durch das Los er=
wählt. Man schrieb den Namen des Kandidaten auf ein

ehernes Täfelchen, fügte eine weiße oder schwarze Bohne
hinzu, und warf es in die Urne. Doch wen das Volk be=
sonders ehren wollte, zum Beispiel den gerechten Aristides,
den erwählte es einmüthig durch Aufhebung der Hände. —
Solon schloß die Armen von Verwaltung der Aemter
aus, doch Aristides vernichtete dieses harte Gesetz, der
Aermste wie der Reichste durfte auf die höchsten Würden
Anspruch machen. Bescheiden traten oft von selber die
schüchternen Armen zurück, zufrieden, daß Geburt und
Reichthum keinen empörenden Vorzug gewährten, wohl
aber Redlichkeit und Tugend; denn der Lasterhafte, der
Verschwender, der mit Schulden Belastete war des Amtes
unfähig. Vor gewissen Richtern auf dem Markte wurde
des Gewählten Lebenswandel geprüft, und konnte Jemand
ihn eines Fehlers zeihen, so ging er der Ehrenstelle verlu=
stig. Wer nach vollbrachter Amtsführung nicht Rechen=
schaft ablegte, den durfte das Volk nicht mit einer Krone
beschenken; der durfte um kein anderes Amt sich bewerben,
oder in die Fremde reisen, oder mit seinem Vermögen
schalten; damit dieses, im Fall befundener Untreue, dem
Staate Ersatz gewähren könnte. — Logisten wurden die
furchtbaren Richter der entlassenen Beamten genannt.
Aber auch selbst während der Amtsverwaltung mußten
die neun Archonten dem Volke Bericht erstatten, ob sie un=
tadelhaft sei. Klagten diese, und wurden Beschwerden
umständlich vorgetragen, so erhob sich der Herold dem
Volke gebietend, zu stimmen. Dann hoben zuerst Alle ihre

Hände empor, die den Beklagten für schuldig, zuletzt auch
die, die ihn für schuldlos erkannten.

Am neuen Jahrstage traten die Obrigkeiten ihre Aemter feierlich an; Opfer wurden den Göttern gebracht, und in den Tempeln des Jupiters und der Minerva erschollen Gebete für das Heil der Stadt.

Neun Archonten oder Regierer waren die vornehmste Obrigkeit, einer strengen Prüfung unterworfen. »Seid ihr freie Bürger?» fragte der Senat, »bis in's dritte Geschlecht? — Seid ihr Landes-Kinder? — Habt ihr euren Eltern stets die kindliche Pflicht bewiesen? — Habt ihr als Krieger dem Vaterlande gedient? — Seid ihr gesundes Leibes? — Seid ihr wohlhabend?» — Dann schwuren die Archonten, gerecht und unparteiisch zu regieren, und wenn sie jemals der Bestechung überwiesen würden, dem delphischen Apoll eine goldene Bildsäule zu weihen.

Die verschiedenen Zweige der Verwaltung theilten sie unter sich, manche blieben ihnen gemeinschaftlich. Missethäter durften sie am Leben strafen. Sie trugen Mirten-Kronen, waren frei von allen Abgaben, und wer sie zu beleidigen wagte, bedeckte sich mit öffentlicher Schande, denn es wurde geachtet, als habe er den Staat selbst beleidigt.

Der erste Archont, und zugleich der Vornehmste unter ihnen, war Vormund der Waisen, sorgte für Gottesdienst, Lebensmittel und Schauspiele. Er beging ein schweres Verbrechen, wenn er sich betrunken finden ließ. — Der

zweite Archont, **König** genannt, richtete die Priester;
verurtheilte die Tempel-Schänder; verherrlichte durch seine
Gegenwart die frommen Feierlichkeiten; opferte für den
Staat. Merkwürdig ist, daß mehrere dieser Pflichten ihm
seine Gattin ausüben half, wenn sie als echte Bürgerin
und Jungfrau sich ihm vermählt hatte. Sie hieß dann **Königin.** — Mörder zog er vor Gericht, und legte, während
der Untersuchung, seine Krone ab. — Der dritte Archont,
der **Polemarch**, stand dem Kriegswesen vor; versorgte
die Kinder, deren Väter im Dienst des Vaterlandes geblieben; feierte den Gedächtnißtag des **Harmodius**; ordnete
die Lieder an, welche die Jugend zum Lobe der verstorbenen berühmten Männer sang; und seiner Obhut waren
die Fremdlinge vertraut. — Die sechs übrigen Archonten
hießen **Thesmotheten**, Richter in mancherlei Streitigkeiten. Sie appellirten an das Volk, sie prüften die Obrigkeiten, sie sammelten die Stimmen, sie bestätigten die
Verträge, sie verhüteten unweise Gesetze.

Den Archonten untergeordnet waren die **Eilfmänner,** auch wohl **Hüter der Gesetze** benannt. Unter ihrer
Aufsicht standen die Gefängnisse; sie vollzogen die Urtheile.
— Diesen und noch mehreren geringern Obrigkeiten, dienten, als Vollstrecker ihrer Befehle, tausend **Toxoten** (eine
Art von Polizei-Soldaten), die in Zelten auf dem Markte
wohnten. Sie wurden auch bisweilen **Scythen** genannt,
weil man sie ihrer Stärke und Rohheit wegen gern aus diesem Lande nahm. Daher spricht beim Aristophanes ein solcher Toxote in einer fremden Mundart.

In den Händen der Lexiarchen befand sich das große
Buch, in welches die Namen aller Bürger eingetragen wur=
den. — Daß weder Gesetze noch Gebräuche, weder vom
Volke noch von den Obrigkeiten, verletzt wurden, dafür
sorgten die Nomophylaken, die, als Zeichen ihres Ehren=
amtes, bei feierlichen Spielen ein weißes Band trugen, und
im Theater auf Ehrenplätzen den Archonten gegenüber sa=
ßen. — Die Nomotheten, tausend an der Zahl, hatten
blos die Obliegenheit, alte Gesetze zu beprüfen, und die den
Zeitumständen nicht mehr angemessenen, durch einen Volks=
schluß aufzuheben. — Der erste Schatzmeister des
Staats verwaltete dies Amt nur Einmal in seinem Leben
fünf Jahre lang. Ein großer Haufe von Beamten war ihm
untergeordnet. Einige trieben die Abgaben ein, und ver=
kauften die Unglücklichen, die sie nicht zu entrichten im
Stande waren; Andere verpachteten die Güter des Staats,
beschatzten die Bürger nach ihrem Vermögen, trieben Schul=
den und Strafgelder bei, empfingen den der Minerva ge=
bührenden Theil u. s. w., vertheilten auch wohl Geld an
arme Bürger, um ihre Sitze im Theater zu bezahlen, eine
Gewohnheit, durch deren Einführung sich Pericles bei dem
Volke beliebt machte, und die später Gesetzes = Kraft erhielt.
— Die Einkünfte des Staats wurden erhoben von Aeckern,
Erzgruben, Waldungen; von Schutzverwandten und Frei=
gelassenen; von Aus= und Einfuhr der Güter; von zinsba=
ren Städten (eine Abgabe, die nach und nach bis auf ein=
tausenddreihundert Talente stieg); von besteuerten Bürgern;
von Bestraften.

Wer kann die Namen von Athen's Obrigkeiten Alle nennen oder behalten? Einige kauften fremdes Getreide für die auf unfruchtbaren Boden gelegene Stadt, Andere bestimmten Maß und Preis desselben; diese verhüteten die Ausfuhr des Silbers, jene schlichteten Streitigkeiten zwischen Kaufleuten und Schiffern; diese wachten über die Reinlichkeit der Stadt, jene über die Sicherheit der Landstraßen. Kanäle, Brunnen, Wasserleitungen hatten ihre eigenen Vorsteher. Andere beobachteten die Jünglinge, damit sie ein mäßiges Leben führen möchten. Noch andere verhüteten das Berauschen bei Gastgeboten, und was sonst wider die guten Sitten lief. Auch sogar die Damen zu Athen waren grämlichen Obrigkeiten unterworfen, die ihren Putz musterten, die Eitelsten um Geld straften, ja wohl gar den übertriebenen Schmuck ihnen abnahmen und öffentlich zur Schau stellten.

Noch eine höchst seltsame, doch gewissermaßen erhabene Einrichtung war folgende: so oft dem Staate ein beschwerlicher und kostbarer Dienst zu leisten war, so wählte man dazu einige Männer aus zwölfhundert der reichsten Bürger, die ohne Murren, ohne Widerrede, aus bloßer Vaterlandsliebe dem Staate Hilfe leisten mußten. Wollte Einer der Gewählten sich von dieser Last befreien, so mußte er einen Andern nennen, den er für reicher hielt als sich; dann aber stand es diesem Andern frei, sein ganzes Vermögen mit dem des Angebers zu vertauschen, bei welchem Tausch von beiden Theilen die Güter eidlich angezeigt wurden.

Selten entstand ein solcher Zwist, denn eine rege Vaterlandsliebe trieb die Athenienser zu großen, freiwilligen
Opfern in der Zeit der Noth. —

Noch gab es einige Staatsämter, nicht eigentliche
Obrigkeiten. Die Redner, die das Volk ernannte, um
für oder gegen Gesetze zu sprechen; die Sachwalter, die
für jede Streitsache aus dem öffentlichen Schatze eine Drachme
erhoben; die Gesandten an fremde Mächte, die täglich
zwei Drachmen empfingen und bei ihrer Zurückkunft Rechenschaft dem Volke abzulegen verbunden waren; die
Herolde, unverletzliche Personen; weshalb Ulyß, so oft
er Kundschafter aussandte, um zu erfahren, in welches
fremde Land Wind und Wellen ihn getrieben, jedesmal
einen Herold ihnen beigesellte, der auch überall, nur nicht
bei den Cyclopen und andern Wilden, für unverletzlich geachtet wurde. Endlich noch die Schreiber, (zu Athen
ein geringer Dienst), welche die Urkunden und Gesetze ab-
schrieben, vorlasen, aufbewahrten.

Die berühmteste und ruhmwürdigste Obrigkeit in Griechenland war die Versammlung der Amphictyonen, zu
welcher auch Athen ein Mitglied sandte. Ueber Ursprung
und Namen dieses Erhabensten aller Richterstühle wird
noch gestritten; man darf beide vergessen über der Bewun-
derung des schönen, großen Zweckes. Ein festes Band
umschlang die griechischen Staaten, deren Jeder einen
Ehrenmann zu dem Rath der Amphictyonen lieh. Zweimal im Jahre versammelte er sich bei Thermopylä,

jenem Felſen-Paſſe; gleich berühmt durch den Opfertod des
Leonidas und ſeiner Schar, wie durch die Sißungen der
Friedens-Richter von ganz Griechenland. Wenn Städte
mit einander haderten, und keine vom vermeinten Rechte
wich, ſo griffen ſie darum nicht zum Schwerte, ſondern
die Amphictyonen entſchieden, und ihr Spruch ward mit
Ehrfurcht aufgenommen. Hätte der verliere nde Theil gewagt ſich dem zu widerſeßen, ſo würden gegen ihn alle
Griechen unter die Waffen getreten ſein. Die Amphictyonen bewahrten.den Ruhm des Vaterlandes; ſie ſchwebten
gleichſam über Griechenland als Schußgeiſter, in keiner
S t a d t heimiſch, nur den S t a a t überſchauend. Siß und
Stimme in ihren Verſammlungen war eine Ehre, um die
gebuhlt, die durch große Thaten errungen, durch unwürdige Handlungen verloren wurde. Einſt verwüſteten und
plünderten die P h o c e n ſ e r den delphiſchen Tempel; da
rief ein Decret der Amphictyonen alle Griechen unter die
Waffen gegen das ruchloſe, das Heiligthum entweihende
Volk, und, nach einem zehnjährigen Kriege, wurden die
überwundenen Phocenſer des Ehrenplaßes in dieſem hohen
Rathe beraubt, an ihrer Stelle die Macedonier dankbar
aufgekommen, weil ihre Tapferkeit Jene beſiegen halfen.
Doch als ſpäter die Gallier unter Brennus alle Heiligthümer Griechenlands verheerten und plünderten, da errangen
die Phocenſer das eingebüßte Vorrecht wieder, indem ſie
jeßt, rühmlicher als alle Griechen, für dasjenige fochten,
wornach ſie einſt die räuberiſchen Hände ausgeſtreckt hatten.

XVI.   5

Nach der berühmten Seeschlacht bei Actium, erbaute Kaiser August zum Andenken seines Sieges, die Stadt Nikopolis, und wußte sie nicht höher zu ehren, als durch die bewirkte Aufnahme ihrer Abgeordneten unter die Zahl der Amphictyonen. — Deren ursprüngliche Bestimmung war, den Tempel des Apoll zu Delphi und dessen Kostbarkeiten zu bewahren; nach und nach erwarben sie das höhere Recht, zwischen den verschiedenen Völkern Griechenlands Friede und Freundschaft zu erhalten, und deren vereinte Kräfte zum Heil des gemeinsamen Vaterlandes zu wecken. Sie schwuren, dieses erhabene Ziel nie aus den Augen zu verlieren, sie legten, bei der Rückkehr in die Vaterstadt, Rechenschaft von ihrem Verhalten ab. Von wichtigen und bittern Streitigkeiten, in welchen ihr Spruch entschied, erzählt uns die Geschichte. Noch zu den Zeiten des Antoninus Pius bestand dieser erhabene Richterstuhl, damals dreißig Stimmen zählend.

Auch Athen berathschlagte in Volksversammlungen über das Beste des Staats. Hier gab jeder Bürger seine Stimme; nur Beschimpfte oder Knechte, Fremdlinge, Weiber oder Minderjährige blieben davon ausgeschlossen. Doch soll zu Cecrop's Zeiten das zartere Geschlecht ein gleiches Recht geübt, und damals, in dem Streit zwischen Minerva und Neptun, für Minerven entschieden haben. Viermal in fünfunddreißig Tagen wurden diese Versammlungen gehalten, in welchen das Volk seine Obrigkeiten bestätigte oder verwarf; was ihm für das Ganze nützlich dünkte, vortrug oder genehmigte; fremde Gesandten hörte; den Götterdienst ordnete. Hier erschien es ungerufen. Allein nicht selten beschied es der Herold auf den Markt, oder auch wohl in das Theater des Bacchus, wenn bringende Angelegenheiten es erforderten. Die Prytanen hingen zuvor einen Anschlag aus, den Gegenstand enthaltend, über den gesprochen werden sollte, damit ein Jeder sich vorbereiten konnte. Keiner durfte seine Stimme geben, bis die Vorsitzer das Zeichen ertheilt. — Wenn es geschah, daß die Athenienser den Besuch solcher Versammlungen vernachläßigten, so bedienten sich die Obrigkeiten mancher Zwangsmittel. Alle Thore wurden gesperrt, dasjenige ausgenommen, welches zu dem Versammlungsorte führte. Alle Buden blieben verschlossen. Man schickte Toroten mit rother Farbe auf den Markt, die Jeden bezeichneten, den sie erhaschen konnten, und der sodann eine Geldbuße erlegen mußte. Daher beim Aristophanes die Stelle: »Indessen plaudern sie auf dem Markte und fliehen von allen Seiten vor dem rothgefärbten Stricke.« — Denen, die zu rechter Zeit sich einfanden, zahlte man einen Obolus oder Triobolus, wodurch wenigstens die ärmern Bürger zu ihrer Pflicht gelockt wurden. »Hast du einen Triobolus empfangen?« fragt Blepyrus beim Aristophanes, und Chremes antwortet: »Ach! möchte ich ihn nur empfangen haben! aber ich kam zu spät.« — Fiel ungestümes Wetter ein, Sturm oder Erdbeben, so wurde die Versammlung aufgeschoben. Wo nicht, so opferte man

5 *

junge Schweine innerhalb des geweihten Platzes; der He=
rold betete laut für den glücklichen Erfolg der Berathschla=
gung, und verfluchte Jeden, der ihn hindern würde. Dann
trugen die Proedri die Sache vor. Der Herold rief:
Wer will reden? — Nun standen die Aeltesten auf,
die über funfzig Jahre zählten, bestiegen die Rednerbühne
und verlautbarten ihre Meinung. Nach ihnen sprachen die
Jüngern. Dem Unbefugten geboten die Prytanen zu schwei=
gen. Den Widerspenstigen trieben die Toroten vom Markte.
— Daß aber an die Volksversammlung nichts gelangen
durfte, was nicht zuvor weise geprüft worden, darüber
wachte der Rath der Fünfhundert, aus den reblich=
sten, unbescholtensten Männern der Stadt, durch geheime
Stimmen mit Bohnen erwählt. Die Vorsitzer dieses Se=
nats, Prytanen, wechselten von fünf zu fünf Tagen.
Das Los bestimmte unter ihnen den Bewahrer des Staats=
siegels und des Schatzkammerschlüssels, doch — so groß
war die Behutsamkeit in diesen wichtigsten Gegenstän=
den, daß man nur auf Einen Tag sie ihm anvertraute. In
einem großen Saal, Prytaneum genannt, waren die
Senatoren stets bereit, Jeden anzuhören; da opferten sie;
da hielten sie mit einander ihre mäßigen Mahlzeiten. Zu
diesen eingeladen zu werden, galt für eine große Ehre, die
nur hochverdienten Bürgern, den Siegern in den olympi=
schen Spielen, fremden Gesandten und solchen Waisen
wiederfuhr, deren Väter ihr Leben dem Vaterlande geopfert
hatten. Den Saal umgaben die Bildsäulen der Schutz=

götter, Helden und anderer berühmter Männer. Solon's Gesetze waren dort angeschlagen.

Brachte Jemand eine Sache vor die Prytanen, so wurde sie auf Täfelchen geschrieben, und jeder Richter empfing eines dieser Täfelchen noch vor der Zusammenkunft, in welcher er dann seine Meinung stehend vortrug; denn kein Grieche, er mochte sein von welchem Rang er wollte, unterstand sich, sitzend zu reden. Darum läßt auch Homer den Achill, und Ovid den Ajar aufstehen, um zu sprechen. Nach gepflogenem Hin= und Wiederreden stimmten die Prytanen mit weißen und schwarzen Steinchen. Ihre Decrete mußte zwar das Volk bestätigen, dennoch war ihre Macht sehr groß, denn der Vortrag hing von ihnen ab; sie waren es, welche die Obrigkeiten zur Rechenschaft zogen, die Armen versorgten, die Flotte unterhielten, kurz, auf deren Schultern der Staat ruhte. Aber auch sie mußten, nach vollendeter Amtsführung, strenge Rechenschaft ablegen, und machte, während derselben, Einer unter ihnen sich des verletzten Eides verdächtig, so stießen seine Mitbrüder ihn aus; er war beschimpft für seine Lebenszeit. Den seiner Pflicht Getreuen hingegen belohnte der Staat aus dem öffentlichen Schatze. Die Erbauung neuer Kriegsschiffe vergalt ihnen das Volk durch Ehrenkronen.

Nicht minder geachtet war der Areopag, also genannt von einem dem Mars geweihten Hügel, wo er sich zu versammeln pflegte. Er bestand aus einigen hundert Gliedern, unter welche von Jahr zu Jahr die wohl regiert habenden

Archonten aufgenommen wurden, doch nur nach strenger Prüfung. Hatte einer derselben jemals ein öffentliches Haus betreten, so bedurfte es weiter keines Grundes, um ihn auszuschließen. Wessen Ruf nicht g a n z unbescholten war, der wurde ohne Erbarmen ausgestoßen, nicht genug, daß sein W a n d e l untadelhaft gewesen, auch seine G e b e r d e n, seine W o r t e mußten ernsthaft, männlich sein. Ein Lustspiel zu schreiben war jedem Areopagiten ausdrücklich untersagt, und in ihrer Versammlung zu lachen, galt für unverzeihlichen Leichtsinn. Wer noch nicht untadelhaft w a r, der w u r d e es hier oder nie. Demosthenes ertheilt dem Areopag das Zeugniß, daß er nie ein Urtheil gefällt, über welches der Kläger oder Beklagte sich mit Recht beschweren können. Das war bekannt unter allen Griechen, daher oft fremde Staaten sich freiwillig dessen Ausspruch unterwarfen. Er sprach über Leben und Tod, über Mörder und Vaterlands = Flüchtige; er hatte die Macht, losgesprochene Verbrecher oder unschuldig Verurtheilte vom Volke zurück zu fordern. Er bewahrte die Gesetze; bestimmte die Anwendung des öffentlichen Schatzes; sorgte für die Erziehung der Jugend; wachte über die guten Sitten, belohnte die Tugend, bestrafte das Laster in jedem Alter, jedem Stande; verhütete vor allen den Müssiggang, ließ die Götter und ihre Tempel in Ehren halten. Darum mußte Plato — in Egypten in Erkenntniß eines einzigen Gottes unterwiesen — seinen Glauben verbergen, aus Furcht vor diesem Richterstuhl. Darum mußte Paulus —

eine neue Lehre predigend — sich vor demselben verantwor=
ten, darum wurde Socrates von ihm verurtheilt. Nur in
Staatssachen mischte der Areopag sich nicht, ohne drohende
Gefahr. — Seine Sitzungen hielt er unter freiem Himmel
und zwar in finsterer Nacht, damit der Kläger wie der
Beklagte nur gehört nicht gesehen werden möchten. So
wurde die Gefahr vermieden, der einst andere Richter un=
terlagen, als das Freuden = Mädchen Phryne, durch Ent=
blößung ihres schönen Busens, ihr Verdammungsurtheil
abwandte.

War von einem Mord die Rede, so schwur der Kläger
bei den Furien, daß er mit dem Ermordeten nahe verwandt,
der Beklagte, daß er unschuldig an der That sei. Dann
setzten sich beide auf silberne Bänke, den Göttinnen der Be=
leidigung und der Unschuld geweiht. Der Angeklagte
durfte zwei Reden halten. Nach Endigung der ersten stand
es ihm frei, wenn er an einem günstigen Ausgang verzwei=
felte, freiwillig in die Verbannung zu gehen, dann aber
wurde sein Vermögen eingezogen und öffentlich verkauft.
In den Reden durfte blos nackte Wahrheit oder That=
sache ohne allen Schmuck vorgetragen werden. Schritt der
Areopag zum Spruch, so geschah es mit großem Ernst
und tiefem Schweigen (denn — verschwiegener als
ein Areopagit — war ein Sprichwort unter den Grie=
chen). Zwei Urnen wurden hingestellt, die eine von Erz,
die andere von Holz. Die Stimmen in jener verdammten
den Beklagten, die in dieser sprachen ihn los.

Diese ehrwürdigen Richter empfingen nie Kronen, hielten sich blos durch ihr Bewußtsein und die öffentliche Achtung belohnt. Unwandelbar genossen sie der letztern bis auf die Zeiten des Pericles, der — weil man die Aufnahme ihm, der nie zuvor Archon gewesen — verweigerte, durch den Mißbrauch der Volksgunst ihrer Behörde vieles entzog, ihr Ansehen schwächte, worauf die Athenienser schnell vom alten Pfad der Tugend wichen, und von Plutarch mit einem wilden umbändigen Rosse verglichen wurden, das seinen Reiter abgeworfen. Leider ergriff endlich das Verderben die Areopagiten selbst, und Demetrius Phalereus, den sie einst wegen seines leichtsinnigen Wandels tadelten, durfte ihnen antworten: »bessert zuvor euch selbst, ihr, die ihr euch bestechen lassen und fremde Weiber verführt, denn ihr seid schlimmer als ich.« Ein alter Dichter, Demetrius, durfte sogar ein Lustspiel, der Areopagit, schreiben und auf der Bühne über sie spotten. So geht durch Eigensucht Eines Menschen oft das Heiligste für Alle unter.

Noch gab es ein Gericht von Bürgern für unvorsetzliche Todtschläge; ein Anderes für Mord aus Nothwehr, oder wegen Ehebruch begangen (hier pflegte der Mörder sein noch vom Blute triefendes Schwert gegen die Sonne zu schwenken, als wolle er die Götter zu Zeugen seiner Unschuld anrufen, wie auch Orest beim Euripides thut). Ein drittes für Todtschlag durch Zufall oder leblose Dinge geschehen (so wurde zuerst über ein Beil gerichtet, wo-

mit ein Priester Jupiter's einen für heilig gehaltenen Stier
getödtet und dann entronnen war. — Auf diesem Gerichts-
Platz unterhielten alte Witwen eine ewig brennende
Lampe). — Der Eingang zu allen diesen und noch mehreren ähnlichen Gerichtshöfen war mit rothen Buchstaben
bezeichnet, und die Richter trugen einen Stab oder Scepter,
als das einzige Ehrenzeichen ihrer Würde, den sie nach dem
Verhör zurückgaben, und dagegen von den Prytanen einige
Obolen für ihre Mühe empfingen. Die Bildsäule des Lycus mit dem Wolfsgesicht stand neben jedem Richterstuhl.
Für bürgerliche Angelegenheiten war der der Heliasten
der besuchteste. Um das Zudrängen des Volkes zu verhüten,
wurde der Gerichts-Platz mit Säulen umzogen und der
Herold gebot jedem müssigen Gaffer sich zu entfernen.
Dann rief er laut: »wenn noch Jemand von den Heliasten
draußen ist, der komme herein!" benn wer nach einmal
begonnener Untersuchung erschien, dem war kein Urtheil
mehr verstattet. Der vorgeladene und muthwillig ausblei-
bende Beklagte wurde sogleich verdammt. Er sowohl als
der Kläger mußten, vor der Prüfung ihres Streites, eine
Summe Geldes niederlegen, die nach der Entscheidung
unter die Richter vertheilt wurde. Der Gewinnende erhielt
das Seinige von dem Verlierenden zurück. Wer sich, von
der Sache unterrichtet, dennoch weigerte, ein Zeugniß abzulegen, zahlte eine Strafe von tausend Drachmen. Um durch
die allzulange Reden der Parteien nicht ermüdet zu werden, beschränkte man sie auf eine gewisse, durch Wasser-

uhren abgemessene Zeit. Waren dazwischen Urkunden zu
verlesen, so wurde das Glas so lange verstopft. Blieb dem
Redner noch Zeit übrig, so konnte er den Rest des Wassers einem Andern abtreten, der dessen benöthigt war. Der Spruch
erfolgte durch schwarze und weiße Muscheln oder Steinchen, später durch eherne Kugeln oder Bohnen, weßhalb
Aristophanes die bezahlten Richter Bohnen = Esser
nennt. Die Richter nahmen sie mit drei Fingern vom Altar (damit sie deren nicht mehrere zugleich fassen konnten)
und warfen sie durch einen Trichter in die Urne. Dann
rief der Herold: »Wer seine Stimme noch nicht gegeben,
der stehe auf!" Meldete sich Niemand mehr, so öffnete man
die Urne. Dabei stand eine obrigkeitliche Person und
berührte mit ihrem Stabe jede Bohne, damit keine weg-
gelassen oder doppelt gezählt werden konnte. Waren der
schwarzen Bohnen die Meisten, so zog sie mit dem Stabe
eine lange Linie, zum Zeichen der Verurtheilung, eine
kurze, wenn die Zahl der weißen überwog, oder auch die
Stimmen gleich waren; denn in dem letztern Falle trat
das richterliche Erbarmen ein.

Den verurtheilten Criminal=Verbrecher empfingen die
Eilfmänner, um die Strafe zu vollziehen. — Der
Arme, der die auferlegte Geldbuße nicht entrichten konnte,
wurde in die Acht erklärt, und schmachtete ewig im Gefängniß. — Der falsche Ankläger, wie der falsche Zeuge,
hatten strenge Ahndung zu fürchten.

Nach gesprochenem Urtheil schritten die Richter in den

Tempel des Lycus, gaben ihre Scepter oder Stäbe wieder ab, und empfingen jeder seinen Obolus, später eine
Drachme. Es möchte scheinen, als habe diese geringe Art
von Besoldung dem Staate nicht lästig werden können,
allein die Athenienser waren so zanksüchtig, und folglich
gab es der Prozesse so viele, daß endlich die Richter-Drach-
men zu großen Summen anwuchsen. Darum geißelt Aristophanes die Habersucht der Athenienser bei jeder Gelegenheit. Ganze Schwärme von Bösewichtern lauerten an allen
Straßen-Ecken, um ärgerliche Geschichtchen aufzuschnap-
pen, aus welchen sich Anklagen gegen rechtschaffene Männer drehen ließen. Man nannte solche Buben Sykofanten, Schikanenmacher, Angeber. Es war ein Gesetz in
Athen, in einem unfruchtbaren Jahre gemacht und nicht
widerrufen, daß keine Feigen aus dem Thore getragen
werden durften, und von den Auflauern auf solche unbe-
fugte Feigenverkäufer, hießen in der Folge alle Angeber
Sykofanten.

Auch Schiedsrichter gab es in Attica eine große
Menge, doch nur in Dingen, deren Werth nicht höher
als zehn Drachmen sich belief. War die angebrachte Sache
von größerer Wichtigkeit, und eine der Parteien mit ihrem
Spruche nicht zufrieden, so legten sie die Akten in ein ehernes oder irdenes Gefäß, versiegelten und überlieferten es
dem Oberrichter. Hatten hingegen die Parteien selbst
Schiedsrichter gewählt, so mußten sie auch deren Spruche
ohne Murren sich unterwerfen.

———

5. Strafen und Belohnungen der Griechen.

In Privatsachen durfte sich keiner mischen, der nicht selbst darein verwickelt war; in öffentlichen Angelegenheiten hingegen, wenn dem gemeinen Wesen Schaden zugefügt worden, heischte die Pflicht von jedem Bürger auch ungerufen aufzutreten. Unter die Staatsverbrechen gehörten ein eheloses Leben, die Feigheit und der Müssiggang. Strenge Züchtigung erfuhr der Lasterhafte, der den freigebornen Jüngling zur Unzucht verleitete. — Am strengsten bestrafte man den Tempel-Räuber und den Landes-Verräther. Nicht einmal sein Leichnam durfte auf attischem Gebiet begraben werden. — Ewige Schande traf den, der sich weigerte, für sein Vaterland zu fechten — der sein Schild wegwarf und entfloh — der dreimal falsche Anklagen oder Zeugnisse vor Gericht brachte — dem bestochenen Richter, gleich dem, der ihn bestach. — Büßen mußte, wer einen freien Mann oder Sklaven übel behandelte, wenn auch nur mit Worten — wer ein, den alten Gesetzen zuwiderlaufendes, vorzuschlagen sich unterfing — wer nach einem Amte strebte, welches zu verwalten er weder fähig noch berechtigt war. Alle diese, und mehr dergleichen, galten für Verbrechen, die den Staat selbst antasteten. Nicht minder merkwürdig und mit heutigen Sitten contrastirend, waren manche in Privathändeln verordnete Strafen. Der Verleumder zahlte fünfhundert Drachmen. — Den Mädchen-Räuber züchtigte der Richter nach Willkür. — Ungerathene Kinder standen mit den Todtschlägern in

einer Klasse. — Den nächtlichen Dieb durfte man tödten. Der bei Tage Ertappte mußte den Raub ersetzen und
fünf Tage gefesselt dem Volke zur Schau stehen. — Eine
Tochter, die ihre Eltern beerbte, mußte den nächsten Verwandten ehelichen, und oft entstand ein Prozeß unter den
Mitbewerbern, deren Jeder der nächste zu sein behauptete.
— Von ihren Kindern Unterhalt zu fordern, hatten nur
die Eltern ein Recht, welche beweisen konnten, daß sie
die Erziehung ihrer Kinder nicht vernachläßigt. — Gegen
einen Vater, der seine Tochter um schändlichen Gewinnes
willen Preis gegeben, war das Gesetz unerbittlich.

Wem öffentliche Schande traf, der mußte unter den
Kriegsgefangenen auf den Ruderbänken sein Leben beschlie=
ßen. — Das Gefängniß nannte man nur das Haus
(denn die Athenienser liebten, durch glatte Worte böse
Dinge zu mildern, so nannten sie z. B. eine öffentliche
Dirne eine Freundin, die Soldaten Wächter u. s. w).

Die Verbrecher trugen hölzerne Kragen um den Hals
oder um die Füße, oder wurden an einen Klotz gebunden,
bisweilen so, daß sie die Hände nicht zum Munde führen
konnten. — Der zu ewiger Verbannung Verurtheilte,
wurde aller seiner Güter beraubt, und mußte der Hoffnung
entsagen, sein Vaterland jemals wieder zu sehen, wenn
nicht dieselben Richter, die das Urtheil ausgesprochen,
es auch widerriefen. Das letztere geschah bisweilen.

Minder hart war der sogenannte Ostracismus, der
nur auf zehn Jahre den Verwiesenen seiner Bürgerrechte

beraubte, und ihn mehr ehrte als beschimpfte; denn nicht selten wollte man dadurch den tugendhaften, großen Mann, dem Neide nur entziehen. So mußte der Gerechte Aristides dem Vaterlande den Rücken kehren; so Damon, der berühmte Lehrer des Pericles. Diesem Unfug machte Alcibiades auf eine seltsame Art ein Ende. Er und noch einige Häupter erregten der Bürger Haß und Neid. Nun gab es damals in Athen einen gewissen Hyperbolus, den verworfensten Menschen seiner Zeit, den schamlosen Gegenstand aller Lustspiele, von Jedermann verachtet, und dennoch ein beliebtes Werkzeug des Volkes, so oft es einen Mann von Ansehen beschimpfen oder verleumden wollte. Auch diesmal hatte er die Gemüther erhitzt, und zur Verbannung eines jener Häupter gestimmt. Der schlaue Alcibiades erfuhr es, vereinigte sich für den Augenblick mit seinen Nebenbuhlern, und als es nun in öffentlicher Versammlung zum Stimmen kam, fiel der Ostracismus, zum großen Erstaunen des Volks und seines Anhetzers, auf den Hyperbolus selbst, der unter lautem Hohngelächter die Stadt verlassen mußte. Durch diese Begebenheit verlor der Ostracismus sein ganzes Ansehen, und wurde vom beschämten Volke abgeschafft. Den Namen führte er von Ostraka, eine Scherbe von zerbrochenen Töpfen, denn auf solche Scherben schrieb ein Jeder den Namen dessen, den er verbannt zu sehen wünschte, und wenn der Archon deren wenigstens sechstausend zählte, so war die Verbannung beschlossen. — Auch die Syracusaner hatten eine ähnliche Einrichtung,

die sie Petalismus nannten, von den Blättern des Oel=
baumes, auf welche sie schrieben, und die zugleich, als
Blätter von dem Friedensbaume, andeuten sollten, daß
der Verwiesene nur, um des öffentlichen Friedens willen,
diese Strafe dulde.

Die üblichen Todesstrafen bei den Griechen waren
Schwert, Strang, Gift, Keulenschläge, Sturz
vom Felsen oder in eine tiefe Grube, das Kreuz,
die Steinigung. Für schimpflich wurde der Strang ge=
halten. Mit ihm bestrafte, nach dem Homer, Telemach
die unzüchtigen Dirnen der Penelope. Das Gift bestand
gewöhnlich aus Schierlingssaft, den noch obendrein der
Verurtheilte kaufen mußte. Sokrates starb diesen Tod.
Zum Kreuz verdammte Alexander den Arzt Glaucus,
wie Plutarch erzählt. Die Grube, in welche man Ver=
brecher stürzte, war eine dunkle, stinkende Höhle, auf de=
ren Grunde eiserne Stacheln den Fallenden empfingen.
Doch hätte er auch diese nicht berührt, so verwehrten ihm
doch andere solche Stacheln, die am Rande sich einwärts
bogen, jede Hoffnung der Rettung. Mit dieser alles ver=
schlingenden, nie wiedergebenden Höhle pflegte man sprich=
wörtlich einen Geizhals oder Schwelger zu vergleichen. —
Die Steinigung traf besonders den Ehebrecher, weß=
halb auch in der Iliade Hector dem Paris vorwirft, daß
er dieses schmählichen Todes zu sterben verdiene.

Es ist bemerkenswerth, daß die Strafen der Griechen
mehr auf Furcht, die Belohnungen mehr auf Ehr=

gefühl berechnet waren. Zu den letztern gehört das Recht,
bei Schauspielen, Gastgeboten und öffentlichen Zusammen=
künften den Ersten Platz einzunehmen. Erschien ein sol=
cher Ausgezeichneter, so stand Jedermann auf und machte
ihm Platz. — Andern wurden Bildsäulen gesetzt.
Athen war voll von solchen Denkmählern des Ruhms. —
Tapfere empfingen Kronen und Kränze. — Verdiente
Männer befreite man von allen Abgaben — speiste sie
unentgeltlich, und bisweilen auch ihre Familien und
späten Nachkommen, im Prytaneum; wer sie beleidigte,
war ehrlos. Ein Zehntel von allen Opferthieren wurde für
sie zurückgelegt, doch übrigens empfingen sie nur mäßige
Kost, täglich eine Art von Brei, an Festtagen etwas Brot.
— Die Kinder solcher Männer wurden vom Staate ver=
sorgt. Das Prytaneum stattete die Töchter des Aristides
aus, und als man zu Athen vernahm, daß die Enkelin
des Aristogiton auf der Insel Lemnos in Dürftigkeit
schmachte, wurde sie geholt, mit einem angesehenen Manne
vermählt, und ihr ein großer Meierhof geschenkt.

So lange Tugend und Sitteneinfalt zu Athen herrsch=
ten, war es nicht leicht, solchen Ehrenlohn zu erlangen.
Selbst Miltiades, nach dem großen Siege bei Mara=
thon, durch den er Griechenland von den Barbaren befreit,
forderte vergebens eine Krone, und Einer aus dem Volke
durfte ihm spöttisch antworten: „Hättest du allein ge=
fochten, so würde die Krone dir gebühren.“ Doch zu den
Zeiten des Aristophanes war das Verderben schon eingeris=

fen, und jeder Soldat vermeinte gerechten Anspruch auf
die erften Plätze und freien Unterhalt zu haben. Unter den
beiden Demetrius wurde die Ehren=Verfchwendung immer
häufiger.

_____

6. Die Gefetze der Griechen.

Wenn es wahr ift, daß Athen unter allen Völkern
zuerft Gefetze erfunden und eingeführt, fo hat die Nachwelt ihm eine größere Wohlthat zu verdanken, als das
Gefchenk feiner Künfte, feiner Philofophie. Zwar fchrei-
ben manche diefen Ruhm dem Könige von Creta, Minos,
zu, andere dem Zaleucus, die Dichter hingegen der
Ceres, die von den Atheniensern an einem gewiffen Tage
als Gefetzgeberin hoch verehrt wurde. Allein die Dichter ftehen als Zeugen hiftorifcher Wahrheit nicht in dem be-
ften Rufe. Gewiffer ift, daß Athen fchon unter feinen Königen nach Gefetzen regiert worden, zu deren Hüter und
Befchützer der edle Thefeus fich aufwarf, als er der höch-
ften Gewalt fich begab. — Draco's Blutgefetze wurden
bald vergeffen. — Solon ließ die Obrigkeiten fchwören,
daß fie die feinigen in Kraft erhalten, und für jede Ueber-
tretung dem delphifchen Apoll eine goldene Statue von der
Dicke des Straffälligen opfern wollten. Das Volk gelobte
fie hundert Jahre lang treulich zu beobachten. Vergebliche
Vorficht eines übermüthigen Sterblichen, der in die Rechte
der Gottheit greift! Pififtrat und feine Söhne ließen Solon's Gefetze nur dann gelten, wenn es ihr Vortheil heifchte.

XVI.   6

— Nach dieses Geschlechtes Vertreibung stellte Clisthe=
nes sie wieder her, und fügte neue hinzu, abermals nur
giltig, bis der Rath der Vierhundert und die drei=
ßig Tirannen sie zu ändern beliebten. — Nach diesen
Stürmen setzte Euklides, der Archont, die alten Gesetze
wieder in Kraft. Zuletzt wurde Demetrius Phalereus,
als Gesetzgeber, Athen's Wohlthäter, bis die siegenden Rö=
mer auch ihre Gesetze den Besiegten aufdrangen.

Das Volk selbst gab bei besondern Veranlassungen Ge=
setze. Ein Entwurf, dem Staate heilsam, von irgend
einem Bürger ausgesonnen, zuerst von den Prytanen, dann
vom Senat geprüft, wurde auf eine weiße Tafel geschrie=
ben, an die Bildsäulen der Heroen geheftet, damit ein Je=
der ihn lesen, und vor den öffentlichen Stimmen, sich dar=
über berathen möcht. Dann versammelte sich das Volk,
hörte das Decret vorlesen, sprach frei darüber, verwarf oder
bestätigte es. Wehe dem Unkundigen der alten Gesetze und
Gewohnheiten, oder auch der neuen Gesinnungen des
Volks! Stimmte sein Entwurf nicht mit diesen überein, so
wurde er, wie einst Eudemus, ein Opfer der Volks=
Wuth. Der locrensische Gesetzgeber Zaleucus hatte so=
gar verordnet, daß jeder Neuerer, mit einem Strick um
den Hals, seinen Vorschlag vertheidigen mußte. Gelang es
ihm nicht, so zog der Henker auf der Stelle diesen Strick
zusammen. Weil aber doch die weisesten Gesetze immer nur
gewissen Zeiten angemessen sind, so hatte der weise Solon
verordnet, jährlich Einmal an einem feierlichen Tage sie

alle zu verlesen, und kann laut zu fragen: ob sie zum Wohl des Staates noch hinreichend schienen? — Die Entscheidung dieser Frage übertrug das Volk den Nomotheten, ernannte aber selbst fünf Redner, um die alten Gesetze zu vertheidigen. Nach deren Anhörung ertheilten die Nomotheten ihr Gutachten, und das Volk bestätigte solches.

Der lacedämonische Gesetzgeber Lykurg prägte seine Gesetze blos mündlich in die Gemüther seiner Mitbürger, Solon aber, und die in seinem hohen Berufe ihm folgten, verfaßten die ihrigen schriftlich, auf Tafeln von Holz, Stein oder Erz, anfangs in der Burg, dann im Prytaneum aufbewahrt zu Jedermanns Einsicht. Auch in der königlichen Halle konnte jeder Bürger an der Wand geschrieben sie lesen, und fürwahr sie standen da, mehr als irgendwo, an ihrem rechten Platze und waren der schönste Schmuck der königlichen Wohnung. Schwerer Ahndung unterzog der Frevler sich, der es wagte, solche Tafeln zu beschädigen, oder ein Wort auf ihnen auszulöschen.

Mehrere Gelehrte haben mit großem Fleiß den Gesetzen der Griechen nachgespürt und sie gesammelt. Hier die merkwürdigsten, oder von heutigen Sitten abweichenden. — Ehrfurcht und Opfer den Göttern! — Wer den Tempel des Apoll verunreiniget, soll sterben. — Alle Sklaven, alle Fremdlinge haben Zutritt in den Tempel, es möge Andacht oder Neubegier sie dahin führen. — Der, dessen Tod ein falsches Gerücht verkündet, darf den Tempel der Furien nicht mehr betreten. — Sicher vor Gewalt ist

G *

jeder Flüchtling im Tempel. — An gewissen großen Festen
soll Jedermann sich einer kostbaren oder lächerlichen Klei=
dung enthalten, und Homer's Rhapsodien sollen
verlesen werden. — Keinem Frembling werden die
heiligen Geheimnisse vertraut, bei Todesstrafe. — Kein
Frauenzimmer darf in einem Wagen noch Eleusis fahren.
— Während der eleusinischen Feste darf keine Bittschrift
überreicht, und Niemand der Freiheit beraubt werden. —
An einem andern Feste (Thesmoforia), werden alle
Gefangene befreit. — Lustspiele, Trauerspiele, Tänze der
Jünglinge verherrlichen das Fest des Bacchus. — Fünf=
zehn Personen gehören zu einem tragischen Chor. — Die
Wallfahrt nach Delos gewährt verurtheilten Verbre=
chern Aufschub. — Die Sieger in den olympischen Spie=
len empfangen fünfhundert Drachmen, die in den isthmi=
schen hundert. — Zu Ehren des Aeschylus, Sophocles
und Euripides wird verboten, ihre Tragödien auf die Bühne
zu bringen, nur die Priester dürfen sie vorlesen. — An ge=
wissen Festen sollen die tragischen Schauspieler einen Wett=
streit in ihrer Kunst beginnen; der Sieger wird zum freien
Bürger erklärt. — Wer Schauspieler werden will, muß we=
nigstens dreißig Jahre zählen. — Obrigkeitliche Personen
dürfen nur unter erdichteten Namen in Komödien bespöt=
telt werden. — Wer in der Musik die Tonarten vermischt,
wird straffällig. — Aufmerksamkeit und Anstand beob=
achte der Zuschauer im Theater. Den Lärmenden lasse der
Archon durch die Knechte hinaustreiben. — Drei der be=

sten Ringeltänzer am Feste Neptun's erhalten Belohnun=
gen. — Ein Tag im Jahr ist Hahnenkämpfen ge=
widmet. — Aus den muntersten Greisen soll man die
Oelzweigträger am Feste der Minerva wählen. — Der
König (einer der Archonten) darf nur einer Jungfrau und
Bürgerin von Athen sich vermählen. — Wer ein neues
heilsames Gesetz zu machen verspricht, und sein Wort nicht
hält, der wird bestraft. — Wer ein unechtes Gesetz vor
Gericht anführt und preist, der verdient den Tod. — Die
Dekrete des Senats sind nur giltig für ein Jahr. — Alle
Gesetze sind gleich verpflichtend für alle Bürger jedes
Standes. — Kein Sklave soll das Bürgerrecht erlangen.
— Der Fremdling, der durch Verdienste um den Staat
das Bürgerrecht mit sechstausend geheimen Stimmen ge=
wonnen, kann doch nimmer ein Amt verwalten, wohl aber
dessen Sohn, wenn er von einer freien Mutter geboren
worden. — Jedem Athenienser steht es frei, mit Weib und
Kind und Hab und Gut die Stadt und ihr Gebiet zu ver=
lassen. — Der unecht Geborne ist jedes Amtes unfähig. —
Adoptirte Söhne dürfen nie in ihre eigene Familie zurückkeh=
ren. — Eltern dürfen die Namen ihrer Kinder nach Belieben
wechseln. — Die junge gerüstete Mannschaft soll schwören:
»Ich will diese heilige Rüstung nie entehren, nie meinen Po=
sten verlassen, meinem Feldherrn ungehorsam werden; ich will
fechten für mein Vaterland und die Götter. Trifft mich das
Los, in eine Kolonie über's Meer zu schiffen, so will ich
dort das mir bestimmte Land, es sei so klein es wolle, red=

lich kauen. Ich will den Gesetzen gehorchen und sie schützen,
für den Ruhm meines Vaterlandes auch mein Leben opfern.
Die Herrschaft Athen's will ich auszubreiten streben, so
lange Weizen, Gerste, Wein und Oel noch außer dessen
Grenzen wachsen." — Der erste Unterricht der Jugend soll
im Schwimmen bestehen. — Uneheliche Kinder sind nicht
verpflichtet, ihre Eltern zu ernähren. — Der Erbe, dem
die Erbschaft angestritten wird, soll beweisen, daß seine
Eltern ihre Habe rechtmäßig erworben. — Verliert der
Vater aus Alter oder Krankheit den Verstand, so darf
der Sohn, nach deshalb erhobener und bewiesener Klage,
i h n f e s s e l n. (!) — Keiner soll den Knecht eines Andern
schlagen. — Gewinnsüchtige Richter soll der Herold, nebst
dessen ganzem Geschlecht, öffentlich verfluchen. — Niemand
soll ein Amt zweimal, oder in einem Jahr zwei Aemter
verwalten. — Wer von öffentlichen Geldern noch keine
Rechnung abgelegt, darf auch von dem seinigen für die
Götter nichts verwenden, darf weder Patron eines Frei=
gelassenen, noch Zeuge sein; kann nicht adoptirt werden,
darf kein Testament machen, kein anderes Amt verwalten,
und wird mit keiner Krone beehrt. — Wer Schulden hat,
und doch ein Amt annimmt, der hat das Leben verwirkt.
— Wer den Umsturz der Staatsverfassung befördert, und
nach demselben ein Amt verwaltet, der ist vogelfrei. Jeder
kann und muß ihn tödten, alle seine Güter werden öffentlich
verkauft. — Ein Archon, einmal nur vom Weine berauscht,
soll sterben. — Ein Heerführer soll schwören, daß er jähr=

lich zweimal in das megarenſiſche Gebiet feindlich einfallen
wolle. — Keiner ſoll öffentlich reden, der unter dreißig
Jahr, der ſeine Eltern geſchlagen oder verſtoßen, der im
Kriege zu dienen ſich geweigert, oder ſein Schild wegge=
worfen, der ſich der Wolluſt ergeben, ſein Gut verſchwen=
det. — Ein Redner ſoll im attiſchen Gebiet angeſeſſen
ſein, und rechtmäßig erzeugte Kinder haben. — In Strafe
fällt, wer nicht deutlich redet oder dieſelbe Sache zweimal vor=
trägt, oder anzügliche Worte ſich erlaubt. — Die Archonten
ernennen Flötenſpieler zum Chor. Kein Frembling darf im
Chore tanzen. — Den ſeiner Ehre beraubten Tänzer ſoll
man von der Bühne jagen. — Ein Vermögen von zehn
Talenten und die Wahl zum Trierarchen verpflichtet
zum Bau von Kriegsſchiffen. — Der, zum Gaſtmahl im
Prytaneum eingeladene und nicht erſcheinende, erlegt eine
Geldſtrafe. — Ohne Bewilligung des Volks empfängt
Niemand eine Krone von fremden Städten, oder widmet
ſie ſogleich der Minerva. — Wer ſich einem Amte entzieht,
verliert das Bürgerrecht, er wäre denn ein Archon, oder
ein Nachkomme von Harmodius und Ariſtogiton. —

Nur vom Sonnen=Aufgang bis zum Sonnen=Unter=
gang dürfen die Schulen offen ſtehen. Kein Erwachſener
darf darinnen erſcheinen bei Todesſtrafe. Kein Erwachſener
darf dem Feſte des Mercurius beiwohnen, will er nicht
die Strafe eines Verführers freigeborner Kinder leiden. —
Kein Sklave ſoll Arzt werden. — Jedes freigeborne Weib
darf die Heilkunſt lernen und üben. — Niemand ſoll Phi=

losophie lehren. (Dieses Gesetz galt nur unter den dreißig
Tirannen.) — Freunde und Bekannte sollen nicht gezwun=
gen werden, gegen einander als Zeugen aufzutreten. —
Wer unwissentlich fehlt, soll nicht verklagt, sondern in der
Stille an seine Pflicht erinnert werden. — Wer einen Ver=
bannten herbergt, wird gleich ihm verwiesen. — Wer zu
einem Verbrechen reizt, empfängt gleiche Strafe mit dem
Verbrecher. —

Schuldner sind ehrlos, ja sogar ihre Erben, bis sie
alles bezahlt haben. — Tausend Talente sollen jährlich
zur Beschützung des attischen Gebiets zurückgelegt werden.
Der Vorschlag, diese Gelder zu andern Behuf zu verwen=
den, oder auch den Sold der Krieger aus den zu Schau=
spielen bestimmten Geldern zu nehmen, wird mit dem Tode
bestraft. —

Wer einen Brunnen gräbt, zehn Klafter tief, und keine
Quelle findet, der darf aus seines Nachbars Brunnen
schöpfen (ein nothwendiges Gesetz für das wasserarme Ge=
biet von Attica.) — Hundert Drachmen zahlt, wer einen
Oelbaum ausreißt. — Keinem soll erlaubt sein, so viele
Aecker zu kaufen, als ihm beliebt. (Solon wollte durch
dieses Gesetz dem übermäßigen Reichthum vorbeugen.) —
Für jeden gelieferten Wolf bezahlt der Senat fünf Drach=
men, für eine Wölfin nur einen. (?) — Niemand soll einen
Pflugochsen schlachten oder Schafe über ein Jahr alt.
(Beweis des Viehmangels.) — Es soll kein Fleisch der
Thiere gegessen werden. (?) — Wer seine Fische um einen

geringern Preis verkauft, als er sie ausgeboten, soll in's
Gefängniß wandern. — Niemand soll, um Schulden zu
bezahlen, ein Sklave werden. — Der Geldverleiher darf
nur mäßige Zinsen fordern. — Falsche Münzer sollen sterben. — Nur für Korn darf Geld aus dem Lande gehen.
— Nur Oliven sind erlaubt auszuführen. — Kein Athenienser darf Korn aufspeichern. —

Jeder Bürger darf den andern der Faulheit wegen
verklagen. — Niemand soll zwei Künste treiben — keine
Mannsperson Specereien verkaufen — kein Fremdling seine
Waren auf dem Markte feil bieten. — Jedermann darf
den vor Gericht belangen, der einen Bürger oder Bürgerin verspottet, weil sie Handel getrieben. — Der Ge-
schickteste in seinem Gewerbe soll in Prytaneum gespeist
werden und obenan sitzen. — Der Fuhrmann, der bei der
Ueberfahrt nach Salamis sein Boot umwirft, kann hinfort nicht Fuhrmann sein. —

Nicht aus Wollust, sondern um Kinder zu erzeugen,
soll man sich vermählen. Doch niemand soll mehr als ein
Weib ehelichen, und zwar eine Bürgerin. — Der Fremdling, der eine Bürgerin mit List heirathet, soll verkauft
werden. Ein Gleiches wiederfährt der Ausländerin, die
einen Bürger in das Band der Ehe lockt. — Jeder darf
seine leibliche Schwester heirathen. — Eine Erbin, die von
ihrem Gatten kinderlos bleibt, darf unter dessen nächsten
Verwandten Hilfe suchen. (?) (Sogar die Zahl der ehelichen Liebkosungen wird vorgeschrieben, die der Gatte einer

Erbin zu leiſten verbunden.) — Der Entführer ſoll die
Entführte ehelichen. — Kein Vormund darf mit der Mutter
ſeiner Pupillen ſich vermählen. — Die Neuvermählte ſoll
in ihres Mannes Wohnung ein Getreide-Sieb mitbringen,
zum Zeichen einer guten Wirthſchaft, und vor'm Hochzeit=
abend ſoll ſie eine Quitte eſſen. — Nicht über drei Kleider
und Gefäße von geringem Werth ſind der Braut verſtattet.
— Eine arme, verwaiſte Jungfrau ſoll der nächſte Ver=
wandte ehelichen, oder nach ſeinen Kräften für ihren Un=
terhalt ſorgen. — Der Sohn, wenn er ein Mann gewor=
den, beerbet die lebendige Mutter, muß ſie aber anſtän=
dig unterhalten. —

Eine Gattin, die von ihrem Manne geſchieden zu ſein
wünſcht, muß ihre Bittſchrift dem Archon perſönlich über=
reichen. — Wer die Keuſchheit einer Jungfrau mit Ge=
walt verletzt, ſoll tauſend Drachmen zahlen. — Wer einen
Ehebrecher auf der That ertappt, darf ihn nach Willkür
ſtrafen. — Der verklagte Ehebrecher muß, nach erfolgtem
Urtheil, Bürgen für ſeine künftige Keuſchheit ſtellen. (?) —
Der Gatte, der ſein treuloſes Weib nicht verſtößt, wird
mit öffentlicher Schande belegt. Das Weib darf keinen
Tempel mehr betreten. Thut ſie es dennoch, ſo wird ſie
der Mißhandlung eines jeden Preis gegeben. Sie darf ſich
nicht geſchmückt an öffentlichen Orten zeigen, ſonſt mag
ein jeder ihr die Kleider vom Leibe reißen. — Ein Frauen=
zimmer, das unanſtändig gekleidet erſcheint, ſoll tauſend
Drachmen erlegen. — Auf Reiſen darf ſie nicht mehr als

drei lange Röcke und einen Handkorb mit sich führen, auch
an Speisen und Getränke nur für einen Obolus. Bei Nacht
darf sie nur in einem Wagen mit Fackeln fahren. — Ein
Sklave, der einen freigebornen Jüngling liebt, soll öffentlich fünfzig Streiche empfangen. — Der Vater, der einen
Knaben zu schändlichen Dienst verhandelt, hat sein Vater-
recht an ihm verwirket; der Sohn, bei reifern Jahren, ist
ihm nichts mehr schuldig, als ein anständiges Begräbniß.
— Der überwiesene Jugend-Schänder soll sterben am
Tage des gesprochenen Urtheils. — Wer in seine Schande
selbst eingewilligt, ist jedes Amtes unfähig, darf keinen
Tempel oder Schranken betreten, noch eine Krone empfangen. — Lustdirnen soll man gleich Sklavinnen achten,
und um sie auszuzeichnen, sollen sie geblümte Kleider
tragen. —

Sterbende Knaben oder Mädchen können nicht mehr
vermachen als eine Medimne Gerste. — Jeder Bürger
kann sein Vermögen hinterlassen wem er will, er hätte
denn noch Söhne am Leben, oder wäre schwach durch
Alter, Krankheit, Zauberei, oder von seiner Frau be-
schwazt. Hat er eine Tochter, so kann der Fremde ihn nur
beerben, wenn er die Tochter ehelicht. — Die rechtmäßige
Tochter geht dem unehelich erzeugten Sohne vor. —

Wer eines Kindes Erbe sein würde, wenn es stürbe,
darf nicht dessen Vormund werden. — Grabmähler soll man
nicht mit Bildsäulen schmücken, oder überhaupt sie größer
machen, als zehn Männer in drei Tagen vollenden mögen. —

Bei Leichenbegängniſſen ſoll keine Frau unter ſechzig Jah=
ren erſcheinen, ſie wäre denn mit dem Verſtorbenen ver=
wandt. — Nicht mehr als drei Kleider ſoll der Leichnam
mit in die Gruft nehmen, und keine Klageweiber ſollen
ſich das Antlitz zerkratzen. — Nur bei feierlichen Leichenbe=
gängniſſen dürfen Lobreden gehalten werden, doch von
keinem Verwandten, ſondern das Volk wird den Redner
beſtellen. — Der in der Schlacht Gebliebene wird begra=
ben auf öffentliche Koſten, ſein Vater darf ihm eine Rede
halten, und fiel er an des Heeres Spitze, ſo geſchehe das
jährlich an ſeinem Sterbetage. — Einem fremden Grabe
ſoll Niemand ſich nahen, um die Manen des Verſtorbenen
nicht zu beunruhigen. — Von einem Todten ſoll Niemand
übel reden, ſelbſt dann nicht, wenn die eigenen Kinder
des Verſtorbenen ihn dazu reizten. —

Jeder Mörder leidet den Tod. Er ſoll jedoch außer der
ihm zuerkannten Strafe nicht hart behandelt werden. —
Mord durch Zufall zieht Verbannung auf Ein Jahr nach
ſich, dann kehre der Mörder zurück und reinige ſich durch
Opfer. — Ungeſtraft bleibt, wer den Entführer ſeiner
Gattin, Mutter, Schweſter, Tochter, Geliebten oder
der Amme ſeiner Kinder tödtet. — Es iſt erlaubt, den
umzubringen, der gewaltthätig einen Unſchuldigen über=
fällt. — Wird ein verbannter, unvorſetzlicher Mörder
während ſeiner Verbannung eines vorſetzlichen Mordes
angeklagt, ſo ſoll er in einem kleinen Schiffe vor Gericht
erſcheinen, aber nicht das Ufer betreten, und die Richter

follen am Lande ihr Urtheil sprechen. — Die Verwandten
eines Ermordeten dürfen von dem Beschützer oder Anhetzer
des Thäters Genugthuung fordern, und, bis diese gelei=
stet worden, sich dreier Personen bemächtigen, die ihm
angehören. — Einem Selbstmörder soll die Hand abge=
hauen, und mit dem Leichnam nicht an Einem Orte be=
graben werden. — Leblose Werkzeuge eines Mordes wer=
den aus dem attischen Gebiet hinweg geschafft. — Jedem
Bürger ist erlaubt, den zu verklagen, der einem Dritten
Unrecht zugefügt, wenn es auch den Kläger nicht betraf. —
Wer einen Einäugigen vollends blendet, dem sollen beide
Augen ausgerissen werden. — Der bissige Hund soll an
einer vier Ellen langen Kette liegen. — Wer einen Dieb
in einem fremden Hause sucht, darf nur ein dünnes Kleid
tragen. (?) — Sterben muß, wer in einem fremden Gar=
ten Feigen stiehlt. — Auch der Dieb eines Misthaufens
soll bestraft werden. —

Niemand soll vom Andern Uebels reden, oder ihm
Verbrechen vorwerfen. — Den Undankbaren, der nicht
Gutes mit Gutem vergilt, darf man vor Gericht belan=
gen. — Ein Weib kann nur über den Werth einer Medimne
Gerste kontrahiren. — Niemand soll mehr als dreißig
Gäste bewirthen. Nur vermischten Wein darf er ihnen vor=
setzen; doch etwas unvermischten am Schlusse des Gast=
gebots, zur Ehre des guten Genius. —

Dem Kriegsdienst weiht sich jeder Bürger vom acht=
zehnten bis zum vierzigsten Jahre. — Der Soldat darf

feinen Körper nicht weichlich pflegen, feine Haare nicht
schmücken, feine Waffen nicht versetzen. — Die tapferften
und reichften Athenienfer bilden die Reiterei. — Den trifft
Schande, der zu Roffe dienen will, ohne vorhergegangene
Prüfung. — Die Pächter der Staats-Einkünfte und die
Tänzer bei den Bacchusfeften find vom Kriegsdienft frei. —
Für eine Kriegs-Erklärung gilt ein Lamm, auf feindliches
Gebiet gefetzt. — Verwundete, zum Dienft unfähig gewor=
dene Soldaten, wie auch die Eltern und Kinder der Ge=
bliebenen, foll der öffentliche Schatz ernähren; die letztern
ausftatten. — Wer bei einem Aufruhr keine Partei ergreift,
der hat feine Ehre verwundet. — Wer auf den Straßen
bewaffnet geht, foll beftraft werden. —

Keinen Fremden foll man beleidigen. — Dem verirrten
Reifenden bringe man auf den rechten Weg, und reiche
ihm Feuer und Waffer.

-----

7. S p a r t a.

Bisher ift faft nur von Athen geredet worden, allein
auch Lacedämon war nicht minder berühmt. Deffen Gebiet
bildete den größten Theil des Peloponnes, der jetzt fogenann=
ten Halbinfel Morea; ein fruchtbarer, fchwerer Boden,
von Bergen umringt, deren Marmor und Metalle die
Spartaner nachläffig zu Tage förderten, denn Gold und
Silbermünze durften fie nicht gebrauchen. Die Römer
wußten diefe Schätze bald zu finden. — Dreißigtaufend
Mann Fußvolk und fünfzehnhundert Reiter konnte Lace=

dämon stellen. Sparta lag zirkelförmig auf Hügeln am
Eurotas, lange ohne Mauern, denn Lykurg wollte, jedes
Bürgers Brust sollte eine Mauer sein. Einen prächtigen
Marktplatz umfaßte die Stadt. Auf ihm standen die Gerichtshöfe, ein von persischer Beute erbauter köstlicher Säu-
lengang, die Bildsäulen des Apoll, der Diana und Latona,
um welche die Jünglinge bei Kampfspielen tanzten und
sangen — die Tempel vieler Götter, und eine kolossale
Bildsäule, das Volk vorstellend. — In einer der Straßen
zeigte man ein Gebäude, den Volksversammlungen geweiht.
Hier hatte man die Zither des Timotheus von Milet aufgehangen, und ihn selbst verbannt, weil er eine weichliche
Musik einführen wollen. — Ein Theater von weißem
Marmor — die Grabmähler des Leonidas und Pausanias —
der Pöcile, eine Art von Klubb — der Dromos oder
die Rennbahn — das Grabmahl des Dichters Alcman —
ein gefesselter Mars, der (so wähnten die Lacedämonier)
dadurch auf immer an sie gekettet sei — eine Burg mit
dem Tempel der Minerva von Erz — ein Tempel der
Musen, weil die Spartaner nicht unter Trompetenschall,
gleich andern Völkern, sondern von der Laute und Zither
begleitet, in die Schlacht gingen — ein eherner Jupiter —
das waren die vornehmsten Merkwürdigkeiten von Sparta.

Der Vater, dem hier ein Kind geboren wurde, mußte
es auf der Stelle der Mutter entreißen, und in einen der
Klubbs, Lesche genannt, tragen. Hier wurde es besich-
tigt, und — war es stark und gesund — ernährt, erzo-

gen; schwach und gebrechlich, in einen Sumpf geworfen. —
Die siebenjährigen Knaben theilte man in Klassen. Der
achtzehnjährige Jüngling zog zu Felde. Im dreißigsten
Jahre zählte man ihn unter die Männer, jedes Amtes
fähig. — Alle Bürger hatten nicht nur gleiche Rechte, sondern auch gleiche Güter, gleiches Vermögen; denn Lykurg
wollte Armuth und Reichthum aus seinem Staat verbannen, dadurch Stolz, Geiz, Schwelgerei, Betrug, Haber
und Neid verhüten, darum wagte der Kühne, alle Aecker
gleich zu vertheilen, und sein Werk war dauerhaft. Zu
diesem Zweck verordnete er auch die öffentlichen, mäßigen
Mahlzeiten, zu welchen jeder Bürger beitrug, und deren
köstlichste Schüssel, die sogenannte schwarze, nur durch
Hunger und starke Leibesübungen gewürzte Suppe
war. — Unglücklich konnte man zu Sparta nur die Sklaven nennen, die so zahlreich wohl sonst nirgends gefunden wurden. Uebler noch als die Heloten, wurden die mes-
senischen Knechte behandelt. Doch lange treue Dienste erwarben auch dort Lohn und Freiheit.

Alle Obrigkeiten wählte man durch Stimmenmehrheit,
nicht durch's Los, ohne Ansehen der Person, nur Tugend
und Verdienst beachtend. Der König allein mußte vom
Geschlecht der Herakliden abstammen, und da dieser berühmte Stamm in zwei Aeste sich theilte, so wählte man
auch stets zwei Könige. Gewissermaßen also war diese
Würde erblich, und der älteste Sohn behauptete das nächste
Recht dazu. Alle übrige des Geschlechts genossen nur geringe Vorzüge vor andern Bürgern.

Den vermuthlichen Kron-Erben erzog man nicht so
streng als seine künftigen Unterthanen, doch gewöhnte man
ihn zu großem Ernst, und unterrichtete ihn fleißig in den
Gesetzen. Auch wurden Schönheit, Größe und Gesundheit
an ihm hochgeachtet. Ein lahmer Fuß reichte hin, vom
Throne ihn auszuschließen. Denn er sollte auch Oberpriester
werden, und ein Solcher mußte ohne Fehl sein. Uebrigens
herrschte er nur unter der Herrschaft der Gesetze, die er jeden
Monat auf's neue beschwören mußte. Nur in Kriegszeiten
war seine Macht größer, obschon er ohne Rath und Vor-
wissen keinen Krieg anfangen noch führen durfte. Karge
Ehrenbezeugungen gestand man ihm zu: einen Palast —
eine doppelte Portion von öffentlichen Mahlzeiten — den
ersten Platz in Versammlungen — Alle standen auf, wenn
er erschien, nur die Ephoren nicht. Nach seinem Tode
ehrte man sein Andenken.

Ein Mitglied des Senats von Lacedämon mußte
wenigstens sechzig Jahre alt und von unbescholtenem Wandel sein. Fast den Königen gleich wurde dieser Senat geachtet, denn zwischen ihnen und dem Volke stand er in der
Mitte, dort Tirannei, hier Uebermuth verhütend, in
wichtigen Dingen nur mit Rath des Königs, oft auch
ohne denselben entscheidend, Niemanden Rechenschaft schuldig, und dessen Glieder nur um großer Verbrechen willen
des hohen Amtes verlustig. Als der Tirann Cleomenes den
Senat stürzte, da erschütterte er die Grundpfeiler des
Staats, der nun immer tiefer sank. — Später als der

XVI.   7

Senat, von einem seltenen Könige, Theopompus, der sein eigenes Ansehen beschränken wollte, wurden die Ephoren eingesetzt, Aufseher über den ganzen Staat, auch über die Könige. Fünf Ephoren zählte man, deren jeder nur ein Jahr das wichtige, zum Mißbrauch leicht versuchende Amt verwaltete. Sie setzten strafbare Obrig-keiten ab, verurtheilten sie zum Tode. Der König, zwei-mal vor ihren Richterstuhl geladen, mußte erscheinen. Der Gottesdienst — die Erziehung der Jugend — der öffent-liche Schatz — Krieg, Frieden und Bündnisse — Beloh-nungen aller Art — sogar die feierlichen Spiele gehörten unter ihre Verwaltung, und damit nichts fehlen möchte, um ihr Ansehen beim Volke zu befestigen, verschmähten sie auch den Aberglauben nicht, begaben sich in den Tem-pel der Pasiphae, schliefen dort und verkündeten dann ihre Träume. Die Ephoren wählte das Volk, bisweilen aus Männern niedrigen Standes. Auch diese treffliche Einrichtung vertilgte Cleomenes. — Besonderer Aufseher bedurfte die wilde, heranwachsende Jugend, man nannte sie Bibiäer. Auf einem von Platanen und Wasser um-ringten Platze kämpften die Jünglinge, bald paar-, bald schaarenweise, und oft so hitzig, daß sie einander bissen, die Augen ausrissen, sich in's Wasser zu stürzen suchten. Darum mußten stets die fünf Bibiäer zugegen sein, und ihre Streitigkeiten schlichten. —

Nomophylaken hießen die Ausleger und Bewah-rer der Gesetze. — Harmosynen, die Wächter über Le-

bensart und Sitten der Weiber. Nirgends war ein solches
Amt nothwendiger als in Sparta, wo theils die Weiber
nackend an den Leibesübungen Theil nahmen, theils, den
strengsten Gesetzen zum Trotz, in Staatssachen sich mischen
und die Männer beherrschen wollten. Das läugnete auch
eine gewisse Gorgo nicht, als man ihr den Vorwurf
machte, »aber,« fügte sie hinzu, »wir allein gebähren auch
Männer.« — Aristoteles gab daher den Lacedämoniern einen Spottnamen, der ihre Unterwerfung unter das schöne
Geschlecht bezeichnete.

Die Pythier fragten die Orakel um Rath — die
Proxenen bewirtheten die Fremdlinge — die Probici
bevormundeten unmündige Könige — die Pädonomen
widmeten sich der Aufsicht über die Jugend, und waren
stets die würdigsten, unbescholtensten Männer — die Har-
mosten, eine Art von Dictatoren, wurden nur in bedrängten Zeiten gewählt — die Polemarchen, hohe Kriegs-
und Polizei = Beamte — die Hippagreten, Anführer
von dreihundert auserlesenen Reitern, in Kriegszeiten des
Königs Leibwache — diesen und noch weit mehreren gerin-
geren Obrigkeiten gehorchten die Spartaner. Sie hielten
ihre Versammlungen gleich den Athentenern, aber auf
freiem Felde, damit das Volk durch keine Nebendinge von
dem ersten Gegenstande möchte abgeleitet werden. Bewaffnet erschienen sie, wenigstens mit Stöcken, bis Alcander
dem Lykurg ein Auge ausschlug, da wurde es untersagt.
Sie stimmten nicht mit kleinen Steinen, wie die Athen

7 *

fer, sondern durch lauten Zuruf, und wo der nicht ent=
schied, da theilten sich die Parteien in zwei Haufen, der
zahlreichste siegte.

Zu den öffentlichen Mahlzeiten brachte jeder Wein,
Mehl, Käse, Feigen und etwas Geld. Fünfzehn speisten
an einem Tische, liegend, den Arm auf einen ausgehöhl=
ten Stein oder Holz gestützt. Auch Knaben führte man
hier ein, damit sie weisen Ernst und Scherz vernehmen,
Tadel zu ihrem Besten hören, und Verschwiegenheit ler=
nen möchten, denn, auf die Thür deutend, sagte man
ihnen beim Eintritt: »nichts von dem, was hier gespro=
chen wird, darf dort hinaus.«

Keine Redner, keine Sachwalter duldeten die Lacedä=
monier; ein jeder sprach für sich selbst. Die Könige entschie=
den nur unter den Mitbewerbern einer reichen Jungfrau,
oder über Adoption, oder Ausbesserung der Straßen. Vor
dem Senat gehörten die Verbrechen. Ein Todesurtheil ward
lange und reiflich erwogen, um jeden Irrthum zu verhü=
ten. Die Ephoren richteten anfangs nur in Privathändeln,
forderten aber bald auch die Obrigkeiten zur Rechenschaft.
Dies veranlaßte nicht selten blutigen Zwist, wobei sogar
die Könige in Lebensgefahr geriethen, und manche Epho=
ren ermordet wurden. Der vor ihr Gericht geladene Kö=
nig durfte an das Volk appelliren, wie Agis that, als
die Ephoren ihn eigenmächtig in's Gefängniß führten.

Mit Belohnungen und Ehrenbezeugungen war man
karg in Sparta, und erhöhte dadurch ihren Werth. Große,

hochverdiente Männer nannte man die göttlichen, nahm
sie auf in die Zahl der dreihundert Reiter, räumte ihnen die
Ersten Plätze bei öffentlichen Zusammenkünften ein, be=
schenkte die Sieger in Kampfübungen mit Gürteln und
Kränzen von Oelzweigen. Besonders wurde das Alter hoch
geehrt, und überall ihm ehrerbietig Platz gemacht. Ver=
storbenen Helden, Dichtern u. s. w. errichtete man Ehren=
säulen, Denkmähler mit Inschriften, man stellte ihre Bil=
der auf; man hielt feierliche Reden und Spiele bei ihren
Grabmälern; man erbaute ihnen sogar Tempel, eine sel=
tene Ehre, die den Lykurg wiederfuhr.

Die härteste Strafe in Lacedämon war Ehrlosig=
keit; sie traf vor Allen die Hagestolzen, und wurde noch
durch so mancherlei eben so seltsame als erniedrigende Ver=
ordnungen geschärft, daß es unbegreiflich ist, wie jemals
ein Spartaner unvermählt geblieben. Bald mußten sie auf
dem Markte Spottlieder auf sich selber singen, bald ihre
Bärte halb scheren, halb wachsen lassen, bald, gleich ent=
laufenen Soldaten, auf einem öffentlichen Platze mit dem
Schilde stehen. An einem gewissen Feste führten die Wei=
ber sie zum Altare und ohrfeigten sie. Keines Amtes waren
sie fähig, kaufen und verkaufen durften sie nicht; jeder Um=
gang, jede Theilnahme an öffentlichen Spielen war ihnen
untersagt. Als Greise hatten sie keinen Anspruch auf die
dem Alter gebührende Achtung. Dem Elend ihrer Lage
fehlte nichts als Sklaverei. — Nur eine Gattung von
Menschen gab es, die nicht heirathen durften, ja, deren

Töchter sogar Niemand ehelichen durfte, es waren die Fei=
gen oder Flüchtlinge aus der Schlacht. Man nannte
sie Tresanten. Wohl den Deutschen unserer Zeit, daß
dies Gesetz für sie nicht gilt.

Die Strafe der Verbannung wählten Manche frei=
willig, um einer härteren Strafe zu entgehen. Auch Kö=
nige hat man aus Sparta verwiesen. — Das Erdros=
seln war die gewöhnliche Todesstrafe. Es geschah nicht
öffentlich, nur im Kerker und bei Nacht. Diebe blieben un=
gestraft, außer wenn sie sich ertappen ließen. Dann galt
die Strafe nicht der That, sondern der Einfalt und Unvor=
sichtigkeit des Thäters.

Lykurg's Gesetze waren von den Cretensern, Egyp=
tiern und Joniern entlehnt, aber der Schlaue gab vor, der
delphische Apoll selbst habe sie ihm offenbart. Er hatte
lange unter jenen Völkern gelebt, und bei den Joniern
Homer's Gedichte kennen lernen, welchen er, als Lehren
der Weisheit, in Sparta hohe Achtung verschaffte. Die
von ihm eingeführte Staatsverfassung glich keiner bekann=
ten, war aus Allen zusammen gesetzt, und Plato selbst
gesteht, es sei fast unmöglich, sie recht zu erklären. Eben
so auffallend unterschieden sich Lykurg's Gesetze, an Zahl
nur wenige, Alle auf Erweckung kriegerischer Tugenden,
auf Verbannung der Pracht, Ueppigkeit und Wollust ge=
richtet; ungeschrieben, von Munde zu Munde aber sorg=
fältig fortgepflanzt, und selten haben Gesetze sich so lange
erhalten, denn zu Cicero's Zeiten galten sie schon seit sieben=

hundert Jahren, und noch unter Domitian behaupteten sie ihre Giltigkeit. Hier folgen die merkwürdigsten: In den Tempeln soll Jeder bewaffnet erscheinen. (Auch ihre Götter wurden gerüstet abgebildet, und sogar Venus trug Waffen.) — Die Opfer sollen nicht kostbar sein. — „Erzeigt uns Gutes um guter Handlungen willen, und lehrt uns Beleidigungen ertragen." Das sei alles, was man von den Göttern bitten darf. — Es ist erlaubt, die Todten in der Stadt zu begraben. (Vielleicht um durch ihre Denkmähler das Andenken ihrer Thaten lebendiger zu erhalten.) — Bei Leichenbegängnissen soll kein Wehklagen gehört werden, denn den Tod soll man verachten. — Nur die Grabmähler derer, die den Tod für's Vaterland sterben, werden mit Inschriften und Schilden geschmückt — Die Trauer soll nicht länger als eilf Tage währen. —

In dreißigtausend Lose waren die Aecker des ganzen Landes vertheilt, von welchen die Einwohner Lacedämons neuntausend besaßen. Diese Zahl — so verordnete Lykurg — soll stets unverändert bleiben. (Aber Geiz und Habsucht untergruben dies Gesetz, und den Versuch, es wieder herzustellen, mußte König Agis mit dem Leben büßen.) — Beim Häuserbau soll kein anderes Werkzeug, als Beil und Säge gebraucht werden. — Kein Fremder soll zu lange in Sparta verweilen. — Kein Bürger soll reisen oder in der Fremde sich aufhalten. — Wer seine Kinder nicht nach den Gesetzen erziehen läßt, der verliert sein Bürgerrecht, denn er liebt seine Kinder mehr als das Vaterland. —

Eheleute sollen so viel möglich an Alter, Gesundheit,
Körper und Denkungsart sich gleichen. — Der Vater von
drei Söhnen ist der Bewachung der Stadt überhoben, von
vier, aller Abgaben. — Die Jungfrauen sollen nicht aus=
gestattet werden, nur Tugenden und Sitten ihre Mitgabe
sein. — Die Männer sollen ihre Frauen r a u b e n , und
sie dann nur verstohlen bei Nacht besuchen. (Dies Gesetz
wurde so strenge gehalten, daß manche Vermählte Kinder
zeugten, ohne sich am Tage gesehen zu haben.) — Jeder
soll nur Eine Frau haben. — Ein alter schwacher Mann
darf Jüngere zu seinem Weibe führen, um sich Erben zu
verschaffen. — Ein Jeder hat das Recht, seines Mitbür=
gers fruchtbare Ehefrau sich auszubitten, um Kinder mit
ihr zu erzeugen. (Dies seltsame Gesetz bewirkte, daß man
zu Sparta von Ehebruch und Scheidung selten hörte.) —
Die Kinder sollen hart erzogen werden. Man wickelte sie
nicht ein, man legte sie frei und nackend hin, gewöhnte sie
an Hunger, Durst, Kälte, Einsamkeit und Finsterniß.
— Alle Kinder erhalten gleiche Nahrung. Nur Jünglinge
essen Fleisch. (Darum wurden zu Sparta nur Fleischköche
geduldet. Niemand durfte Leckerbissen zubereiten.) — Alle
Jünglinge schlafen bei einander. (Höchstens war ihnen zum
Lager Schilf aus dem Flusse Eurotas vergönnt.) — Nie=
mand soll essen, ehe er zu den öffentlichen Mahlzeiten geht.
— (Wie mäßig diese Mahlzeiten waren, ist schon erwähnt.
Die schwarze Suppe bestand aus Salz, Essig, Blut und
kleinen Stückchen Fleisch.) — Nur der Durstige soll trin=

ken. — Im Dunkeln soll Niemand mit Licht nach Hause gehen. — Arme und Reiche kleiden sich auf gleiche Art. (Und diese Kleidung war schlecht und kurz, nur Bedeckung des Körpers, nicht Schmuck. Lysander schlug die prächtigen Kleider aus, welche Dionysius seinen Töchtern schenken wollte.) — Die Knaben, bis in's zwölfte Jahr, tragen blos einen kurzen Rock und keine Schuhe; später bekommen sie jährlich Einen Mantel. Das Haar sollen sie scheren. Nur die Erwachsenen schonen Haar und Bart. — Niemand soll der Bäder sich bedienen, noch seinen Körper salben. (Nur im Eurotas durfte man baden. Salbenhändler wurden in Sparta nicht geduldet.) — Das Kriegskleid soll Purpurfarbig sein. (Vielleicht, um das Blut der Verwundeten weniger sichtbar zu machen.) — Die in Schlachtordnung gestellten Krieger sollen ihre Häupter bekränzen (als Männer des Sieges gewiß). — Nur eiserne Ringe dürfen die Finger zieren. — Das Gewand der Jungfrau soll nicht bis an die Knie reichen. (Es war so kurz, daß man fast die Hüften sehen konnte, weil die Mädchen an den Leibesübungen Theil nahmen.) — Weder Gold noch gestickte Kleider sollen die Frauen tragen. — Das Antlitz der Jungfrau sei offen, das der Frau verhüllt. — Bei Kampfübungen und feierlichen Aufzügen sollen Knaben und Mädchen nackend sein.

Niemand soll nach seiner Willkür leben, Jeder nach den Gesetzen. Gehorsam lerne und übe Jeder. — Den Alten soll man auf der Straße ausweichen und stehen bleiben, wenn sie vorüber gehen. — Sie dürfen die Kinder jedes Bürgers ermahnen, denn die Kinder sind ein Eigenthum des Staats. Sie sollen den Jüngling, der ihnen begegnet, fragen: wo gehest du hin? Er soll die Wahrheit antworten, und Verweise willig annehmen. — Die Jünglinge dürfen nur reden, wenn es Zeit ist und sich schickt, und was sie reden, soll wohl überlegt sein. (Kein Gesetz wäre wohl heutzutage uns nothwendiger.) Sie sollen sittsam einhergehen, nicht da und dorthin gaffen oder die Hände wild bewegen. — Wer eines Andern Fehler gleichgiltig und schweigend sieht, der macht sich gleicher Strafe schuldig. — Niemand soll mehr lernen als er braucht. — (Ein Athenienser machte dies Gesetz einem Spartaner einst zum Vorwurf. »Es hat verhütet,« erwiederte dieser, »daß wir von euch nichts Böses gelernt haben.«)

Niemand soll eine unedle Kunst oder Gewerbe treiben. (Dahin rechnete man auch den edlen Ackerbau, den allein die Heloten trieben.) — Keine unnütze Kunst soll zu Sparta geduldet werden. (Unnütz nannte man aber jede Kunst, die nicht Tapferkeit und Tugend beförderte.) — Komödien und Tragödien aufzuführen, ist verboten. (Jene sollten nicht die Gesetze und Gebräuche des Vaterlandes verspotten, diese nicht die Gemüther verweichlichen.) — Ohne Erlaubniß der Obrigkeit soll kein Dichter unter dem Volke sein. — (Darum wurde Archilochus verjagt, weil er gesungen, es sei vernünftiger, die Waffen wegzuwerfen, als zu sterben. Doch später söhnten sich die Lacedämonier mit der

Dichtkunst aus, und erzeugten selber manche gute Dichter. Dem Tyrtäus ertheilten sie das Bürgerrecht.)

Kein Redner wird zu Sparta geduldet. — (Da man sich stets des noch heute sogenannten lakonischen Stils bediente, und selbst Briefe an Könige oft nur ein einziges Wort, ein Wenn, ein Nein enthielten, so bedurfte man freilich auch der Redner nicht.) — Die Gesetze anderer Völker sollen nicht gepriesen werden. —

Man gewöhne sich treffende, scharfsinnige Antworten zu geben. (In dieser Kunst wurden schon die Knaben durch Fragen geübt, und sie bestraft, wenn sie albern antworteten.) — Die Sklaven sollen sich der Lieder enthalten, welche die Freigebornen singen. — Jedem ist vergönnt, freigeborne Knaben zu lieben. (Doch verstand man darunter keine unkeusche Lust, sondern das reine Wohlgefallen an Schönheit und Talenten.)

Was Jeder heimlich stehlen kann, darf er ungestraft behalten; ertappt, muß er büßen. (Kühnheit, List und Vorsicht sollte dieses Gesetz erwecken; doch durften die Knaben nur Eßwaren stehlen.)

Niemand soll einen dickern Körper haben, als zu den Kampfübungen schicklich ist. (Man hielt die Wohlbeleibten für wollüstig und zaghaft.) — Die Jugend soll dem Waidwerk obliegen. (Darum wurden zu Sparta eine Menge Hunde gehalten, von vorzüglicher Güte. Man versandte sie oft als köstliche Geschenke. Eine Gattung derselben entstand durch Vermischung eines Wolfes mit einer Hündin.)

Man soll die Knaben und Mädchen im Tanzen üben.
— Dahin gehörte der berühmte pyrrhische Tanz, den
die jungen Krieger, als Vorübung zu Schlachten, im
fünfzehnten Jahre lernten. Dann der karyatische Tanz,
den die Mädchen der Diana zu Ehren aufführten. Zu ei=
nem andern, sehr seltsamen Tanze vereinten sich Mädchen
und Jünglinge. (Da sprangen sie in die Höhe und kamen
sitzend zur Erde, man zählte diese Sprünge, die ein
wunderliches Schauspiel gewesen sein mögen.) — Auch
im Laufen, Ringen, Scheiben= und Spießwerfen, sollen
beide Geschlechter sich gemeinschaftlich üben. (Cicero, ein
Augenzeuge, machte eine lebhafte Beschreibung davon.)
— Niemand soll, durch Aufhebung der Hand, sich für
überwunden bekennen, sondern so lange kämpfen, bis er
kraftlos niedersinkt. — Den Männern ist eine anständige
Muse gestattet, allein die Jugend soll stets beschäftigt
sein. — Jährlich Einmal, am Altar der Diana, sollen
die Knaben gepeitscht werden. — (So schmerzhaft und oft
blutig diese Gewohnheit war, so wetteiferten doch die
Knaben unter sich, wer am längsten ohne laute Klage,
den Schmerz ertragen könne.)

Gold und Silber soll Niemand besitzen: nur eiserne
oder lederne Münze gebraucht werden. — (Die eiserne war
so schwer, daß man auch geringe Summen auf Wagen
fahren mußte. Das hemmte allerdings manchen, sonst mit
dem Gelde leicht zu treibenden Unfug.) — Niemand soll
Wucher treiben oder Geschenke machen. (Selbst fremde Ge=

fanbte empfingen keine Geſchenke, und die ſpartaniſchen
durften keine annehmen.)

Die Alten ſollen nicht beſtändig auf dem Markte ver=
weilen, denn das ziemt nur Neugierigen oder Müſſiggän=
gern. Aber rühmlich war es, den größten Theil des Tages
in den Gymnaſien und Leſchen zuzubringen. — Alle zehn
Tage ſollen die jungen Krieger (die Epheben) ſich na=
ckend vor die Ephoren ſtellen, die ihren Körper unterſuchen.
— Für den Fehltritt eines Knaben wird der geſtraft, der
ihn vorzüglich liebt. (Das ſchärfte die Aufmerkſamkeit des
letztern auf die Handlungen des geliebten Knaben, und hielt
auch dieſen vom Leichtſinn zurück, durch die Vorſtellung,
daß ein anderer, dem er zugethan war, für ihn büßen
müſſe.) — Die Jugend ſoll nicht über die Geſetze reden,
ſondern blind gehorchen. — Der Rath eines beſcholtenen
Mannes, wäre er auch noch ſo gut, ſoll nicht von ihm,
ſondern von einem andern, unbeſcholtenen vorgetragen
werden.

Nur mit dem Vollmond ſoll das Heer in's Feld rücken.
(Ein abergläubiſches Geſetz, das öfter Schaden brachte.) —
Mit einem und demſelben Feinde ſoll man nicht wieder=
holte Kriege führen. (Aus Furcht, ihn kriegeriſch und ta=
pfer zu machen.) — Man ſoll keine Flotte halten, der See=
krieg iſt verboten. (Später zwang die Noth dies Geſetz ab=
zuändern, und Sparta wurde mächtig zur See.) — Thürme
und Mauern ſollen nicht beſtürmt werden. (Man achtete
das Leben jedes Bürgers allzu hoch, um es der Gefahr

auszuſetzen, auch wohl von einem, auf der Mauer ſtehen=
den zaghaften Weibe geraubt zu werden.)

Der Soldat ſoll in ſeiner Rüſtung ſchlafen, doch iſt im
Kriege ein etwas freieres Leben vergönnt. — Vor Anfang
der Schlacht ſoll der König den Muſen opfern, dann unter
Flötengeſang das Heer in's Treffen führen. — Ewige
Schande dem, der flieht, oder ſeinen Schild von ſich wirfſt.
(Es gab ſpartaniſche Mütter, die ihre flüchtigen Söhne
ſelbſt umbrachten.) — Dem geſchlagenen Feinde ſoll man
nicht nachſetzen, den erſchlagenen nicht plündern. — Der
Sieger durch Liſt opfert dem Mars einen Stier, der durch
Gewalt, einen Hahn. — Wer über fünfundfünfzig Jahre
zählt, iſt frei vom Kriegsdienſt. —

Eine der lacedämoniſchen ſehr ähnliche Verfaſſung
hatten die Cretenſer, anfangs auch monarchiſch durch Kö=
nige regiert, unter welchen Minos Geſetzgeber wurde. Die
Oberhäupter der nachmaligen Republik hießen Coſmi,
wechſelten jährlich, wurden aber nur aus gewiſſen Ge=
ſchlechtern gewählt. Es gab eine Ritterſchaft, die zu Roſſe
diente. Das Los der ackerbauenden Sklaven war minder
hart, als zu Sparta. Sonſt erinnerte alles auf dieſer Inſel
balb mehr, balb minder, an Lykurg's von ihr entliehene
Geſetze.

Auch die Thebaner verwandelten ihre Monarchie in
eine Republik, doch Jahrhunderte verſtrichen, ehe ihre Thaten
glänzten, bis die Helden Epaminondas und Pelopi=
das erſchienen. Böotien, das Land, in welchem Theben

lag, war volkreich und fruchtbar, und nicht das Land, nur
der Mangel an Erziehung und Unterricht, verschuldete den
Spott, der von allen Seiten die Böotier traf. Ein Senat
regierte Theben, B ö o t a r ch e n hießen die Feldherren, P o -
le m a r ch e n die Obrigkeiten. Die Thebaner duldeten auch
Handwerker und Kaufleute, doch in der Staatsverwaltung
wurde keiner zugelassen, der nicht wenigstens zehn Jahre
sich dieser Gewerbe enthalten hatte. — Wer sein Kind
nicht ernähren konnte, durfte es nicht aussetzen, sondern
mußte es der Obrigkeit abliefern, die für dessen Erhaltung
und Erziehung Sorge trug. — Zwei Marmorbilder, Minerva und Merkur, von S k o p a s und P h i d i a s schmückten Theben, doch heiliger noch war ein Apoll aus Cedern-
holz, zu dessen Priester jährlich der schönste, stärkste Jüngling geweiht wurde. Er hieß der Lorbeerträger, von
dem Kranz um seine Schläfe. — Am Gesims des Herkules-
Tempels, in welchem dieser Halbgott sammt Minerven ko-
lossalisch gebildet standen, hatte Praxiteles, durch Dar-
stellung der zwölf Arbeiten des Herkules, seinen Ruhm vermehrt. — Ueber einem Steine, S o p h r o n i s t e r, der
Vernunft gebende Stein genannt (dessen Besitz jedem Staate zu wünschen wäre), verwandelte man zufällig
gesprochene Worte in Wahrsagungen. — Die Bildsäule
eines berühmten Flötenspielers, P r o n o m u s, stand neben
der des unsterblichen Epaminondas. — Fortuna hatte einen
Tempel, in dem sie den Gott des Reichthums, P l u t u s,
in Gestalt eines Kindes auf dem Arme trug. — Jenseit

des Flusses Dirce sah man die Ruinen von Pindars Wohnung, und vor dem Thore sein Grabmahl. — Es würde nur Zeit rauben, und das Gedächtniß belasten, wenn man die vielen Tempel, Bildsäulen, Rennbahnen u. s. w. alle nennen wollte, die der Reisende Pausanias beschreibt. Alexander, der Zerstörer, zerstörte auch Theben. — In Böotien lag der Musenberg Helikon, auf dem der niedersiegende unter alle Völker bald klar bald trübe strömende Quell Hippocrene entsprang. —

Berühmter noch als Theben, war Corinth, gelegen auf der Erdzunge, welche den Peloponnes mit dem übrigen Griechenland verband, gegen Morgen und Abend durch große Häfen begünstigt, welche sie zu einer der blühendsten Handelsstädte machten, und Schätze an ihren Ufern häuften. Schon Homer nannte Chorinth die Reiche. Zwar wurde sie ganz durch den für Kunst gefühllosen Mummius zerstört (dessen lächerliche Unwissenheit sogar bei Einschiffnng der eroberten Kunstwerke nach Rom, deren Begleitern androhte: wenn sie eines derselben verdürben, sollten sie selbst ein anderes machen), aber sie stieg hundert und fünfzig Jahre nachher, durch Cäsar's Wohlwollen aus ihren Trümmern prächtig wieder hervor. — Hier hatte die edle Schwester des Augustus, Octavia, einen Tempel. — Das wasserreiche Corinth zeichnete sich aus durch Wasserkünste. Auf einer derselben stand Bellerophon, und das Wasser sprang aus dem Hufe des Pegasus. — Medeens unglückliche Kinder hatten hier ein Grab-

mahl. — Noth und Gewalt einen Tempel (wie jetzt über=
all.) — Von Corinth's ehemaliger Verfassung ist weiter
nichts bekannt, als daß es von Prytanen regiert wurde.
— Corcyra und das mächtig gewordene Syracus waren
Pflanzstädte von Corinth. — Die Landenge (der Isth=
mus) gab ihren Namen den berühmten isthmischen
Spielen, zu deren Behuf die prächtigsten Gebäude, Tem=
pel und Theater den Spielplatz umringten.

Argos, wo, nach verbannter Königswürde, das Volk
in vier Stämme getheilt, regierte, zählte man auch zu den
sehenswerthen griechischen Städten. Hier stand unter an=
dern eine Kapelle, in welcher die Weiber den Adonis be=
weinten; und eine Bildsäule der Dichterin Telesilla, die,
räthselhafterweise, mit dem Fuß auf Bücher trat, und in
der Hand einen Helm hielt. So reich auch Argos an Kunst=
werken sich dünkte, so wurde es doch von einer ihm unter=
worfenen Stadt Sicyon übertroffen, deren berühmte
Schule sogar den Apelles in ihre Mauern lockte, um von
Pamphilus zu lernen. —

Zu der Zeit, als die macedonische Macht und Gewalt
in Griechenland sich ausbreitete, schlossen die Städte in
Aetolien einen Bund, um ihre Freiheit zu behaupten.
Jährlich versammelten sich ihre Abgeordneten zu Ther=
mum, einem, von Bergen umringten, mit Kunstwerken
aller Art geschmückten Orte, wo sie das gemeinsame Heil
beriethen, und dem zufolge Beschlüsse faßten, Bündnisse
knüpften, Krieg und Frieden beschlossen. —

XVI.   8

Auch die Städte in Achaja, dem jetzigen Morea, ver=
banden sich auf gleiche Weise zu einer Republik. Der ach äi=
sche Bund versammelte sich im Herbst und Frühling.
Fremde Gesandte wurden nicht vorgelassen, wenn sie nicht
zuvor schriftlich aufgewiesen, was sie anzubringen. Darum
verweigerte man dem Römer Metellus den Eintritt, so
sehr er sich auch deshalb entrüstete. — Ein strenges Gesetz
verbot Geschenke anzunehmen. Fast hätte man einst dem
König Eumenes die Freundschaft aufgekündigt, weil er
hundertzwanzig Talente bot. — Die Versammlung durfte
nur drei Tage währen. Ihre Beschlüsse wurden in Stein
gehauen, an heiligen Orten aufgestellt. — Die bürgerliche
Verfassung aller Bundesstädte war so völlig übereinstim=
mend, daß, nach dem Ausdruck des Polybius, nichts
weiter fehlte, als sie alle mit einer Mauer zu umschließen.

Noch ein Wort über das einst hoch berühmte, noch jetzt
oft genannte Carthago sei verstattet; Carthago, zwar
fern von Griechenland, an der afrikanischen Küste gelegen,
doch mit diesem wetteifernd und mit Rom lange siegreich
kämpfend. Es wurde von zwei Suffeten, die jährlich
wechselten, mit fast königlichem Ansehen regiert. Ein zahl=
reicher Senat stand ihnen zur Seite. Das Volk entschied
bei getheilten Stimmen. Sitten=Richter wachten strenge
über die Sitten aller Stände. Der Feldherr führte sein
Heer mit unbeschränkter Vollmacht, doch mußte er den Be=
fehlen des Staats gehorchen, wie einst Hannibal, als er
sich unwillig aus Italien zurückzog. Auf ihren Flotten

dienten nur Eingeborne, ihre Soldaten hingegen warben
sie aus allen Ländern, woher Polybius manchen, ihnen zu=
gestoßenen Unfall leitet. — Dieser Schriftsteller sah Car=
thago in seiner letzten Pracht, und war ein Augenzeuge von
dessen Zerstörung durch den Römer Scipio.

8. Die Religion der Griechen.

Wir betrachten nunmehr diese lebendige, von unserm
Schiller so schön besungene Götterlehre. Ob sie von den Egyp=
tiern herstamme? oder ob Orpheus, der Thracier,
sie eingeführt, darüber wird gestritten; vielleicht ist beides
wahr. Orpheus holte sie vermuthlich aus Egypten; Ce=
crops, der Stifter Athen's, war ein Egyptier; die größten
Männer Griechenlands, Homer, Solon, Lykurg, Pytha=
goras brachten Meinungen und Gebräuche von dort her=
über, und Aristophanes warf den Atheniensern vor, daß
sie Athen in ein Egypten verwandelten.

Sonder Zweifel war die griechische Götterlehre eine
Vermischung vieler andern, von mancherlei befreundeten
oder verwandten Völkern entlehnt. Die Thebaner zum Bei=
spiel, von den Phöniciern abstammend, hielten an den
gottesdienstlichen Gebräuchen dieses Volks. Auch fügte
man wohl häufig eigene Erfindungen zu den fremden. Sie=
ger und Besiegte mischten ihren Götterdienst, um sich in=
niger zu verschmelzen. Daher gab es schon zu Hesiob's
Zeiten dreißigtausend Götter. Die Athenienser weihten
allen fremden Göttern ein Fest, und aus Furcht, durch

8 *

Uebergehung auch nur einen zu beleibigen, errichteten sie
sogar den unbekannten Göttern Altäre. Doch muß=
ten die neuen Gegenstände ihrer Verehrung zuvor von den
Areopagiten genehmigt sein. Darum nur verklagte man
den weisen Sokrates als einen Diener fremder Götter;
darum nur mußte Paulus Christum predigend, vor dem
Areopag erscheinen.

In den ältesten Zeiten diente man den Göttern nicht
in Tempeln, zwischen hohen Mauern, sondern unter freiem
Himmel, von den Reizen der Natur umgeben, meist auf
Bergen, vielleicht wähnend, man sei da der Gottheit näher.
In der Iliade spricht Jupiter: »Mich jammert Hektor, der
mir auf den Gipfeln des Ida viel fette Stiere geopfert.« —
Jehova selbst befahl dem Abraham, seinen Sohn auf einem
Berge zu opfern. Die Entstehung der Tempel suchen die
Gelehrten in dem Verlangen der Menschen, das Andenken
ihrer Verstorbenen zu verewigen; alle Tempel waren ur=
sprünglich Grabmähler, bei welchen ohnehin geopfert wurde.
Die Griechen erbauten ihre Tempel gewöhnlich im Viereck,
halb so breit, als lang, auf Säulen, deren Ordnung nach
dem Wohlgefallen des Gottes gewählt wurde; denn die
dorischen Säulen (so glaubte man) liebten Jupiter,
Mars und Herkules, die jonischen, Bacchus, Apoll,
Diana, die korinthischen, die jungfräuliche Vesta. In
Städten stießen die Tempel oft dicht an Privatwohnun=
gen, im Felde waren sie stets von heiligen dem Schutzgott
des Ortes geweihten Hainen umgeben. Die aufgehende

Sonne beſtrahlte den Eingang, durch den allein das Ta=
geslicht fiel. Das Innere wurde durch Lampen ſparſam
erleuchtet, um frommen Schauer einzuflößen, oder die Gaukeleien der Prieſter zu begünſtigen. Die Altäre und Bild=
ſäulen ſtanden gegen Morgen, denn dahin mußte jeder
Betende ſein Antlitz wenden. Oft führten eine Menge un=
bequeme Stufen hinauf. Sie dienten dem Volke zugleich
als Sitze, wenn der Tempel die Menge der Menſchen
nicht faſſen konnte.

Bis zu einem Gefäß von Erz oder Stein gingen die
Opfernden und beſprengten ſich mit Weihwaſſer. In das
Allerheiligſte durften nur die Prieſter bringen. Eine Art
von Sakriſtei diente zur Schatzkammer für Jeden, der ſein
Vermögen ſichern wollte. So vertraute Xenophon das ſeinige
der Diana von Epheſus.

Die erſten Götzenbilder waren nur rohe Steine oder
Blötze, von Cipreſſen, Cedern, Eichen oder Burbaum.
Als man Figuren zu ſchnitzen begann, da bildete man die
Venus nur aus Mirten — die Minerva aus Olivenholz,
u. ſ. w. Die wachſende Kunſt wählte ſich köſtlichere Stoffe.
Von Thon und Kreide ging ſie zu Marmor und Elfen=
bein, und endlich zu edlen Metallen über. Die Geſtalten
wurden den Beſchreibungen der Dichter, beſonders dem Ho=
mer nachgebildet. Die Bildſäulen ſtanden auf Altären von
Schranken umgeben. Die Höhe der Altäre bezeichnete den
Rang der Götter. Der des olympiſchen Jupiter war faſt
zweiundzwanzig Fuß hoch. Den Halbgöttern opferte man

auf niedrigen Altären, den unterirdischen in Gruben. Von Erde baute man gewöhnlich die Altäre, doch jener des olym= pischen Jupiters bestand aus Asche von den Knochen der Opferthiere, und aus Hörnern der des Apollo Delius. Die Hörner waren in den ältesten Zeiten ein Sinnbild hoher Macht und Würde, die Alten schmückten ihre Götter und Helden mit Hörnern. Alexander trägt sie auf seinen Münzen, und soll auch lebend dieses Ehrenzeichen oft ge= tragen haben. Jehova selbst befahl, mit vier Hörnern seinen Altar zu zieren. Ein gleiches thaten die Griechen mit den ihrigen. Verfolgte, die zum Altar flohen, faßten diese Hörner. Es wäre interessant aufzuspüren, wie und warum nach und nach ein so allgemein anerkanntes Ehrenzeichen bis zur Verspottung herabgesunken; vor wenigen Jahr= hunderten erhielten mindestens die Trinkhörner sich noch in Ehren.

Gleichwie der Wanderer heutzutage auf allen Heerstra= ßen katholischer Länder kleine Kapellen für seine Andacht findet, so luden auch den Griechen in Wald und Feld und auf der Berge Spitzen, einzelne Altäre zum Opfer ein. Nicht auf allen waren diese Opfer blutig, auf manchen wurden blos eine Gattung von Kuchen dargebracht, und einen solchen wählte Pythagoras, dem seine Philosophie das Blutvergießen untersagte.

Auch heilige Tische standen in den Tempeln, bis= weilen aus Gold und Silber gegossen. Sie wurden mit allerlei Früchten besetzt, an welchen die Priester sich labten.

Die Einweihung der Götterbilder geschah mit verschie=
denen Gebräuchen. Gewöhnlich setzte man ihnen Kränze
auf; salbte sie mit Oel, betete, opferte, verfluchte die Gott=
losen, die sie entweihen würden. Auch einzelne Bäume oder
Pflanzen weihte man auf gleiche Weise. So führt Theo=
krit die spartanischen Jungfrauen redend ein: »Wir wollen
dir (der Helena) einen Kranz von niedrig wachsenden Lotos
flechten, und an den schattenreichen Ahorn hängen. Wir
wollen aus der silbernen Flasche ihn mit Balsam beträu=
feln. In die Rinde wollen wir, daß jeder Wanderer es
lese, die Worte schneiden: Verehre mich! ich bin der
Baum der Helene.“ — Ein Haupterforderniß der
Weihe war die Salbung mit Oel, und daraus ist der Ge=
brauch entstanden, auch die Könige zu salben.

Fast unter allen Völkern wurden die heiligen Haine
hoch in Ehren gehalten. Der kühle Schatten, die Stille
und Heimlichkeit erweckten Andacht in frommen Gemü=
thern. Die Athenienser bestraften den mit dem Tode, der
das kleinste Bäumchen in einem solchen Hain beschädigte.
Selbst des Laubes Entwendung für das Vieh zog schwere
Ahndung nach sich. Ceres verdammte den Erisichthon zu
sterben, weil er an ihren Hain die Art legen wollen. Nur
die Verirrungen der Liebe wurden minder streng geahndet,
weßhalb Horaz die Haine unkeusch nennt. Man umgab
sie mit Zäunen und Mauern, um sie vor jedem Frevel
zu schützen.

Alle die benannten, geweihten Orte dienten Verbrechern

oder Unglücklichen zur Freistatt, und sie von da wegzureißen, zog der Götter Rache unausbleiblich nach sich. Den Mißbrauch solcher Freistätte beklagten die Verständigen, wie heute. Man sah die Tempel mit den nichtswürdigsten Sklaven angefüllt; böse Schuldner fanden dort Sicherheit vor ihren Gläubigern, Mörder vor dem Bluträcher. Schon Jon wirft beim Euripides den Göttern vor, daß sie den Sterblichen unweise Gesetze verordnet. Nur die Gerechten, unschuldig Bedrückten sollten beim Altare sitzen. — Auch kehrten sich die Griechen nicht immer an die Unverletzlichkeit der Altäre, denn als der Vaterlandsverräther, Pausanias, in den Tempel der Minerva floh, ließen die Spartaner ihn Hungers sterben. Bisweilen verschloß man auch den Tempel, und deckte das Dach ab, damit der Flüchtling jedem Unwetter blos gestellt, um so eher verschmachten möchte. Auch Feuer legte man mit an die Altäre. Mit Feuer bedroht beim Euripides, Hermione die Andromache, die neben der Bildsäule der Thetis saß. Mit Feuer droht im rasenden Herkules, Lykus dessen Verwandte vom Altar zu scheuchen. Aber es blieb doch immer eine Versöhnung der Götter, darum spricht Andromache gelassen: »Zünde nur an, die Götter sehen es.«

Doch alle Tempel hatten dieses Vorrecht nicht, sie mußten ausdrücklich dazu geweiht sein. Manche standen nur für bestimmte Fälle offen. So der Tempel der Diana von Ephesus für Schuldner; der Tempel des Theseus für hart behandelte Sklaven. — Auch ganze Städte und Infeln hatten das Vorrecht der Freistätte sich erworben; so die Stadt Sicyon und die Insel Delos.

Unter die den Göttern geweihten Dinge gehörten endlich noch gewisse Theile der angebauten Felder, deren Früchte abgesondert und zu Opfern eingesammelt wurden. Auch Königen und andern um den Staat verdienten Männern eignete man solche Aecker zu.

Die Priester genossen unter den Griechen einer hohen Verehrung. Sie wurden den Königen gleich gehalten, trugen Gewänder wie diese, und saßen an ihrer Seite. Oft hielten die Könige selbst durch die Priesterwürde sich geehrt. Gewöhnlich erschienen sie in langem weißen Gewande, geschmückt mit den Sinnbildern der Gottheit, der sie zugeordnet waren. Kränze von Aehren und Mohn trugen die Priesterinnen der Ceres, von Mirten die der Venus, geharnischt erschienen die der Minerva u. s. w. Der Priester Häupter waren bei Opfern bekränzt, mit heiligen Binden umwunden, die Füße entblößt.

Es gab eine Zeit, wo die Priesterwürde erblich war, eine andere, wo das Volk sie wählte, oft durch das Los, in welchem man der Götter eigene Erklärung zu lesen vermeinte. Strenge Keuschheit war der Priester Bestreben; die zu Samos verstümmelten sich sogar, und die Hierophanten zu Athen tranken Schierlingssaft, um sich zu entkräften. Andere bedienten sich zu gleichem Zweck gewisser Kräuter und Arzneien, und streuten das Kräutlein Agnus castus auf ihre Betten. Hingegen war es auch einigen er-

laubt, sich zu vermählen; der ehelose Stand der Priesterin=
nen, so wie in der christlichen Kirche, eine später eingeführte
Sitte. Denn Homer singt:

>Ihnen öffnete die Thore die schönwangichte Thea=
no, des Rossebändigers Antenor Gattin. Sie hatten
die Trojaner zu Minervens Priesterin verordnet."

Den Umgang mit Menschen vermieden die Priester,
frommen Betrachtungen einsam sich weihend. Zu Athen
gab es heilige Familien, aus welchen man sie wählte; eine
der berühmtesten, die der Eumolpiden. Sie mußten
strenge Rechenschaft von Erfüllung ihrer Pflichten ablegen.
Eine Gattung der Priester nannte man Parasiten. Das
Wort erhielt später eine üble, noch jetzt bekannte Deutung.
Sie waren die Einnehmer des zu Opfern bestimmten Ge=
treides, und wurden auf öffentliche Kosten unterhalten.
Um den Staat von dieser Last zu befreien, wurden die Rei=
chen angewiesen, sie an ihren Tafeln zu speisen, und so ist
nach und nach das Wort Parasit mit Schmeichler und
Schmarotzer gleichbedeutend geworden.

Der Opfer waren mancherlei. Freiwillige — etwa
nach einem Siege, oder von den geernteten Früchten des
Hausvaters; Sühnopfer — zur Abwendung des Zorns
der Götter; Bittopfer — um glücklichen Erfolg eines
Unternehmens; Vorgeschriebene — durch Orakel oder
Wahrsager. In den ältesten Zeiten opferte man nur Kräu=
ter und Pflanzen, Cecrops soll den ersten Stier geschlach=
tet haben. Salz, Wein und Rauchwerk durften bei keinem

Opfer fehlen; nur die Sonne empfing, statt des Weines, Honig, und Pluto Oel. — Der Weihrauch wurde später erst bekannt und allgemein; zur Zeit des trojanischen Krieges begnügte man sich noch mit Cedern= und Citronen=Holz.

Das Opferthier mußte ohne Makel sein, vom Priester geprüft und gebilligt. Uebrigens galt es gleich, von welcher Gattung; der Schäfer brachte ein Schaf, der Kuh= hirt einen Stier, der Fischer einen Seefisch. Dem Bacchus ward ein Bock dargebracht, der Ceres Schweine; jener, weil er den Weingärten, diese, weil sie dem Getreide Scha= den zufügen. Der Venus waren die Tauben heilig, der Sonne die Rosse, Dianen die Hirsche u. s. w. Nur der Pflugochs durfte nicht unter dem Opfermesser bluten.

Von Menschenopfern gibt es wenige Beispiele unter den Griechen. Themisiocles opferte eine persische Gefangene, um über dieses Volk zu siegen, und Aristo= menes von Messena opferte dem Jupiter dreihundert Men= schen, sammt dem spartanischen Könige Theopompus. In Arcadien — dem schönen Arcadien, das wir uns immer so zart denken — hatte Bacchus, der Freudengeber, einen Altar, an welchem viele junge Mädchen mit Ruthen todt gehauen wurden. Die gegeißelten Kinder der Spartaner starben oft zu Ehren der Diana. Achilles opferte zwölf trojanische Gefangene bei des Patroclus Leichenbegängniß, und Polyrena wurde hinwiederum den Manen des Achilles zum Opfer gebracht. Keine Religion hat sich unbefleckt von Menschenblut erhalten, wenn es gleich nicht immer am Altar vergossen worden.

Auf Armuth oder Reichthum des Opfernden nahmen die Götter milde Rücksicht. Eine dürftige Gabe aus der Hand des Reichen verschmähten sie, aus der des Armen war ihnen auch ein aus Teig gekneteter Ochse so angenehm, als der lebendige Stier; die Gefährten des Ulysses opferten Eichenlaub aus Mangel der Gerste, und Wasser statt des fehlenden Weins. Die Hekatomben bestanden aus hundert, die Chiliomben aus tausend Stieren. Doch zählen manche in einer Hekatombe nur hundert Füße der Opferthiere, oder hundert gegenwärtig gewesene Perso= nen. — Die Athenienser pflegten sich mit der Kostbarkeit ihrer Opfer zu brüsten, und als sie in vielen Gefechten von den Spartanern besiegt wurden, fragten sie den Jupiter Ammon, gleichsam vorwerfend: wie sie das erklären soll= ten? da doch die geringen, unsaubern Opfer der Lacedä= monier den ihrigen so weit nachstünden? — Aber das Ora= kel antwortete: die schlichten spartanischen Opfer seien den Göttern angenehmer, als die prunkvollen anderer Völker. — Nicht immer waren die Opfer der Griechen öffentlich und besondern Gebräuchen unterworfen. Auch daheim und bei jedem kleinen Vorfall des Lebens zündeten sie Weihrauch an, und gossen eine Schale Wein aus, um der Götter Wohlwollen zu gewinnen.

Niemand wurde zu feierlichen Opfern zugelassen, wenn er nicht einige Tage zuvor sich mit Weihwasser gereinigt und aller sinnlichen Lust enthalten hatte; obschon die athe= nienfische Priesterin Theano auf Befragen erklärte: aus ben Umarmungen bes eigenen Mannes dürfe sie immer zum Altare gehen, aus denen eines Fremden nie. Das Waschen der Hände war unnachläßlich geboten, und als einst ein gewisser Asterius, diesem Gebote nicht gehorchend, zu Jupiter's Altare trat, erschlug ihn der Blitz. — Telemach wusch seine Hände, ehe er sie betend erhub, und Penelope wusch sogar ihre Kleiber, ehe sie zu den Göttern sich wandte. Aus reiner Quelle mußte das reinigende Wasser geschöpft sein. Auch Seewasser hatte diese Kraft; auch eine Meerzwiebel oder ein junger Hund, im Kreise um den zu Reinigenden getragen.

Wehe dem Verbrecher, der ungereinigt einen Tempel betrat! in dem der Eumeniden ergriff ihn plötzliches Schrecken und beraubte ihn der Vernunft. — Seltsam scheint die Sitte, daß ein tobt Geglaubter die Tempel nicht besuchen durfte, und noch seltsamer die Art, wie man ihn reinigte. Er wurde nämlich durch einen Weiberrock gezogen, um anzudeuten, er sei von neuem geboren. Die Römer beobachteten eine ähnliche Sitte. Ein solcher unvermuthet Lebendiger durfte nicht durch die gewöhnliche Thür in sein Haus eingehen, sondern mußte durch eine Oeffnung im Dache herunter gelassen werden, damit es scheinen möchte, er habe seine Wohnung nie verlassen.

Die Kleidung der Opferpriester hatte Aeschylus, aber nicht für sie, sondern für seine tragischen Schauspieler erfunden, und man entlehnte sie ohne Bedenken von der Bühne. Sie waren prächtig, purpurfarben für die himm=

lifchen, schwarz für die unterirdischen Gottheiten, weiß für die Ceres. Von den wollenen Kopfbinden hing zu beiden Seiten ein Band herab. Herkules wurde mit ganz verhülltem Haupte verehrt. Auch die Opferthiere wurden bekränzt, bisweilen deren Hörner vergoldet, die Altäre mit heiligen Kräutern bestreut. Mit Sonnen-Aufgang hub das Opfer der himmlischen Mächte an, mit Sonnen-Untergang das der unterirdischen. Die Jungfrauen boten die Opferwerkzeuge in Körben dar, und man nannte sie Korbträgerinnen. — Nicht mit Gewalt durften die Thiere herbeigeschleppt werden, gleichsam freiwillig mußten sie sich stellen. Dann ward ein Kreis um den Altar geschlossen, der Priester besprengte ihn mit Mehl und Weihwasser, auch die Gegenwärtigen; der Herold rief mit lauter Stimme: Wer ist da? und das Volk antwortete: Viele Redliche! Dann sprach der Priester: Laßt uns beten. — Stille! rief der Herold, und Alle beteten. Nun prüfte der Priester die Gesundheit des Thiers durch vorgehaltenes Futter, und ob es willig zum Opfer sei, durch einen Strich, den er mit dem Messer von der Stirn bis zum Schweif zog; fraß es nicht, oder sträubte es sich, so war es den Göttern nicht angenehm. Ja, durch ein Nicken mußte es sogar seine willige Ergebung bekräftigen, und das wurde bewirkt, indem man Wasser oder Gerste ihm in's Ohr schüttete. — Jetzt kostete der Priester den Wein aus einem Becher, ließ alle Anwesende davon trinken, goß den Ueberrest dem Opferthiere zwischen die Hörner und bestreute es mit Weihrauch.

Dann tödtete es der Priester oder der Vornehmste in der Versammlung durch einen Keulenschlag oder durch Kehlabschneiden. Ein böses Zeichen war, wenn es dem Schlage auswich, brüllte, nicht gleich niederstürzte, sich lange quälte, ehe es starb, und wenig Blut vergoß. Das aufgefangene Blut wurde am Altare ausgegossen. Der Priester untersuchte die Eingeweide und wahrsagte aus denselben. Einen Theil der Opferthiere verbrannte man den Göttern zu Ehren, unter Gesängen und Tänzen von Flöten begleitet.

Des Opfers Ueberreste theilte der Priester mit den Anwesenden, die ihr Theil nach Hause trugen, ihre Freunde damit beschenkten, oder, wenn sie geizig waren, das Fleisch auch wohl verkauften, und mit ihrer Andacht Wucher trieben. Oft war auch sogleich im Tempel eine Mahlzeit an geschmückten Tafeln veranstaltet, wobei man sich nicht selten berauschte, und mit lallender Zunge das Lob der Götter sang. Hatte man der Vesta geopfert, so mußte Alles verzehrt werden. Nach der Mahlzeit, vor Sonnenuntergang geendigt, belustigten sich die Gäste mit dem Bretspiel oder andern Spielen, taumelten dann noch einmal zum Altare, dem Jupiter ein Trankopfer bringend. Für den Merkur fügten die ältesten Griechen auch Zungen bei, um jedes ungeziemende Wort, etwa bei der Mahlzeit ausgesprochen, dadurch in Vergessenheit zu bringen. Dann entließ der Herold die Versammlung.

Nicht Opfer allein, auch Geschenke trugen die Griechen in die Tempel — Kränze, Kleider, goldene, silberne,

eherne Gefäße und dergleichen — hängten sie dort auf, an
Säulen und Wänden; gewöhnlich, um ein Gelübde zu
erfüllen — (so versprach Ovid der Isis ein Geschenk,
wenn sie der gebährenden Corinna beistehen würde) — oder
wenn man ein anderes Gewerbe, eine andere Lebensart er=
griff, in welchem Falle die zuvor gebrauchten Werkzeuge
den Göttern dargebracht wurden. So weihte ein alter Fi=
scher den Nymphen sein Netz, die Hirten dem Pan ihre
Flöten, so das alternde Freudenmädchen, Laïs, der Ve=
nus ihren Spiegel. »Nimm ihn, Venus,« sprach die letz=
tere, »denn ich sehe mich nicht mehr, wie ich war, und
mag mich nicht sehen, wie ich bin.«

Auch der Zehnte von Früchten und andern Dingen,
besonders von der Kriegsbeute, gebührte den Göttern. Nach
Besiegung der Perser weihten alle Griechen dem delphischen
Orakel einen prächtigen goldenen Dreifuß.

Nichts unternahmen sie ohne Gebet, um Rath und
Beistand der Götter. Häufige Beispiele liefert schon Ho=
mer. Will Nestor zum Achill gehen, Priamus Hectors Leich=
nam sich erbitten, Ulysses das feindliche Lager auskund=
schaften u. s. w., so beten sie zuvor. Morgen= und Abend=
gebete waren üblich, und an gewissen Festen betete der
Herold öffentlich für das allgemeine Wohl. Bittende, sie
mochten sich an Götter oder Menschen wenden, trugen
Zweige mit Wolle umwunden in den Händen, und Kränze
auf den Häuptern. Mit den Zweigen berührten sie das
Knie, die rechte Hand oder das Haupt des Gottes oder

Menſchen, an den die Bitte gerichtet war, je nachdem die
Hoffnung, dieſe erfüllt zu ſehen, ihnen zweifelhaft, wahr=
ſcheinlich oder gewiß dünkte. Der Bittende küßte auch
wohl Knie und Hände, oder die eigene Hand, die er als=
dann zur Berührung ausſtreckte. Priamus umfaßte Achill's
Knie und küßte deſſen Hände. Auf gleiche Weiſe ehrte
Ulyſſes einen egyptiſchen König. Die Tempelſchwellen
wurden geküßt. Bisweilen legte der Bittende Trauerkleider
an, und überreichte eine Hand voll Haare, die er ſich aus
dem Kopfe riß, wie Agamemnon nach Hectors Siege.

Stehend und ſitzend durfte man beten, öfter geſchah es
kniend, auf dem Antlitz liegend. In den Häuſern eilten
Bittende zuerſt zum Herd, der für den Altar der Veſta
und der Hausgötter galt. Setzten ſie dort, in gebeugter
Stellung, ſich auf die Aſche, ſo baten ſie dadurch um Er=
barmen auch ohne Worte. Einen beſondern Gebrauch hat=
ten die Moloſſier. Wer beim Eintritt in das Haus ein
Kind auf den Arm nahm, und mit dieſem vor den Haus=
göttern ſich niederwarf, dem ſchlugen ſie keine Bitte ab.
So machte es Themiſtocles, als er, von Athen und Sparta
verfolgt, Schutz bei dem moloſſiſchen Könige Admet ſuchte.
— Zu den himmliſchen Mächten betete man mit aufgeho=
benen Händen, zu den unterirdiſchen mit niedergeſtreckten,
auch bisweilen mit dem Fuße ſtampfend, um ſie zu wecken.

Große Kraft maßen die Griechen den Verwünſch un=
gen bei. Thyeſtes Fluch bereitete dem ganzen Geſchlecht ſeines
Bruders Atreus den Untergang. Am verderblichſten waren

XVI.   9

die Verwünſchungen der Eltern, Prieſter, Wahrſager und
Könige. Mit Thränen bat Meleager's Mutter den Pluto
und die Proſerpine, ihren Sohn zu tödten, und die Furien
erhörten ihre Bitte. — Phönir, von ſeinem Vater ver=
wünſcht, blieb kinderlos. Die Athenienſer verwünſchten
den Alcibiades, als er die Geheimniſſe der Ceres entweiht
hatte. Nur die Prieſterin Theano weigerte ſich, ihn zu ver=
wünſchen.

Die Schwüre der Griechen beurkunden nicht minder
ihre Ehrfurcht vor den Göttern. Der alte Dichter Heſiob
macht den Gott der Schwüre, Orkus, zu einem Sohn
der Eris oder Zwietracht. Im goldenen Zeitalter, wo noch
Wahrheit und Gerechtigkeit unter den Menſchen wandel=
ten, bedurfte man der Schwüre nicht. Dieſe verbannt,
durch Liſt und Ränke und Verbrechen, ließen die Noth=
wendigkeit des Eides zurück. Der Götter großer Schwur
war beim Styr! Wer dieſen Eid nicht hielt, durfte kei=
nen Nektar trinken, und wurde auf neuntauſend Jahre ſei=
ner Gottheit beraubt.

Die Griechen hatten ihre unbedeutenden Gewohnheits=
ſchwüre, gleich uns, bei allen Kleinigkeiten, wie ihre Luſt=
ſpiele und Dialogen beweiſen, doch Gewiſſenhaftere ent=
hielten ſich derſelben, und ſchwuren nur in wichtigen Fäl=
len. Alle Götter, und beſonders Jupiter, waren des Mein=
eides Rächer. Die Spartaner ſchwuren beim Caſtor und
Pollur; die Weiber bei der Juno, Diana und Venus; die
Männer überhaupt bei ſolchen Göttern, unter deren Schutz

ihr Gewerbe oder ihre Neigung standen, die Ackerleute bei
der Ceres, die Rossebändiger beim Neptun. Unter allen Griechen schwuren nur die Athenienser bei der Isis, die Thebaner beim Osiris.

Pythagoras schwur selten bei den Göttern und verbot
es seinen Schülern ganz. Hingegen lehrte er sie einen besondern Eid, bei der Zahl vier, in der, nach seiner Meinung,
die Vollkommenheit der Seele bestand. Sokrates schwur
bei einem Hunde oder einer Gans, Zeno bei einem Cap-
pernstrauche. Hippolytus, beim Euripides, schwört bei dem
Boden, auf welchem er steht. Ein Fischer schwur bei seinem Netz, ein Soldat bei seinem Spieße, und dieser letztere war ein schwerer Eid, so wie der, den Könige bei ihren
Sceptern schwuren. Demosthenes schwur in einer Rede bei
den Helden, die in der Schlacht bei Marathon gefallen
waren. Die Helene des Euripides schwört bei dem Haupte
des Menelaus. Man schwur bei denen, die man am liebsten hatte, am höchsten schätzte.

Man hob die Hände empor oder legte sie auf den Altar, oder in die Hand dessen, dem der Eid geleistet wurde,
oder man berührte das Ohr. Ueberhaupt reichte man sich
bei allen Verträgen die rechte Hand.

Bei feierlichen Bündnissen wurde dem Opferthiere —
(denn ohne Opfer konnten sie nicht geschlossen werden) ein
Büschel Haare vom Kopf geschnitten und unter die Anwesenden vertheilt, zum Zeichen, daß sie alle zu dem Bundes-
eide verpflichtet wären. »Agamemnon schnitt den Lämmern

9 *

Haare von den Köpfen, und vertheilte sie unter die vor=
nehmsten Trojaner und Archiver." Nach vollbrachtem Ge=
bet und Opfer goß man den Göttern Wein aus, wünschend,
daß Blut und Gehirn des Meineidigen, wie dieser Wein
vergossen werden möchte. Verwünschungen seiner selbst stieß
jeder Schwörende aus.

Bei solchen Opfern durfte das Fleisch nicht verzehrt, es
mußte vergraben werden. Aufgeschoben oder ganz aufgeho=
ben wurde der Eid, wenn irgend ein bedenklicher Zufall das
Opfer unterbrach. Als Pyrrhus, Lysimachus und Cassan=
der ihren Frieden beschwören wollten, fiel der zum Opfer
bestimmte Widder plötzlich todt zur Erde, und Pyrrhus
schwur nicht. — Manche hielten schwörend die Spitze eines
Schwertes gegen ihre Gurgel. — Als die Griechen, vom
Siege über den Xerxes aufgebläht, in Persien eindringen
wollten, schwuren sie einen Eid, der unverletzlich sein sollte,
so lange die Stücke vom glühenden Eisen, welche Aristides
in's Meer warf, nicht obenauf schwimmen würden. — Der
furchtbarste Eid der Syracusaner wurde im Tempel der Ce=
res abgelegt. Da zog der Schwörende das Purpurgewand
der Göttin an, und hielt eine brennende Fackel in der Hand.
— Wer bei den Sicilianern von einem Verbrechen sich rei=
nigen wollte, der warf eine Tafel, mit seinem Eide beschrie=
ben, in eine gewisse Quelle. Schwamm die Tafel oben auf,
so wurde er für unschuldig erkannt, sank sie unter, so warf
man ihn in's Feuer. — Schimpf und Tod und unaus=
bleibliche Rache der Götter trafen alle Meineidige. Die

Griechen wußten merkwürdige Beispiele davon zu erzäh=
len. Ein gewisser Glaukus, der lange für einen redlichen
Mann galt, wollte anvertrautes Gut abschwören, und trieb
die Unverschämtheit so weit, das delphische Orakel gleich=
sam um Erlaubniß zu diesem falschen Eide zu befragen.
Doch unwillig antwortete ihm Apoll, und bedrohte ihn
mit dem Untergange seines ganzen Geschlechts, der auch
in Kurzem erfolgte.

Am fünften Tage jedes Monats schweiften, dem Glau=
ben der Griechen zufolge, die Furien umher, diß Mein=
eidigen zu suchen und zu bestrafen. Wehe dem, der, eines
falschen Schwurs sich bewußt, die Höhle des Palämon zu
Corinth betrat! Wehe einem Solchen, der in Sicilien sich
den heißen Quellen der Stadt Palice näherte! er wurde
plötzlich blind oder lahm.

Und trotz dieses Abscheues, trotz aller dieser Strafen,
wurden dennoch die Griechen zum Sprichwort durch ihre
Treulosigkeit. So schildert sie Euripides, so Cicero. Am
beißendsten sind die Worte des Polybius: »Leihst du den
Griechen Geld vor zehn Zeugen, unter zehn Siegeln, du
wirst es doch kaum wieder erhalten.«

Am meisten berüchtigt wegen dieses Lasters, waren die
Thessalier, vielleicht weil sie einst, im Augenblick der be=
ginnenden Schlacht, von den Atheniensern zu den Spar=
tanern übergingen. Auch die Locrenser, und selbst die Lace=
dämonier standen in einem wenig bessern Rufe. Einer ihrer
größten Generale, Lysander, pflegte zu sagen: »Knaben

muß man durch Würfel, Feinde durch Schwüre hintergehen." Zum Besten ihres Staates hielten sie Alles für erlaubt. — Löblicher handelten die Athenienser. Ein berühmtes Beispiel ihrer Rechtlichkeit hat Plutarch uns aufbewahrt. Ein geheimer Anschlag des Themistocles gegen die Feinde wurde vom Aristides geprüft, der dem Volke berichtete, der Entwurf sei allerdings vortheilbringend aber ungerecht. Sogleich wurde er verworfen. Indessen hegte doch selbst dieser gerechte Aristides, wenn es darauf ankam, den Staat zu retten, sehr zweideutige Grundsätze über den Eid.

Den Wahrsagerkünsten waren die Griechen blind ergeben, vor allen standen die Orakel in hoher Achtung, weil sie von den Göttern selbst ausgingen. Zu ihnen nahm jeder Zweifelnde seine Zuflucht. Weder Krieg noch Friede wurde beschlossen, noch ein neues Gesetz verordnet, ohne die Stimme der Orakel zu vernehmen. Ehe Cröfus die Perser zu bekriegen wagte, sandte er nicht allein zu den berühmtesten Orakeln Griechenlands, sondern sogar bis nach Lybien zu dem Jupiter Ammon. Minos und Lykurg, die Gesetzgeber, waren mit Jupiter und Apoll vertraut. Männer von den Göttern begeistert, hielt man der höchsten Ehren, ja des Thrones würdig.

Die Priester, diese Volksstimmung benutzend, erschwerten das Befragen der Orakel durch Bestimmung köstlicher Geschenke, die nur von Reichen und Vornehmen dargebracht werden konnten. Das vermehrte noch des Volkes Ehrfurcht, denn der große Haufe achtet gering, was er

kennt, und bewundert, wo er nicht nahen darf. Auch die
Vornehmsten durften nur an gewissen Tagen einen Orakel=
spruch erbitten, Tage, die um keinen Preis verändert wur=
den. Selbst Alexander mußte die Pythia mit Gewalt zwin=
gen, den Dreifuß zu besteigen. Sie that es endlich mit
den Worten: du bist unwiderstehlich! und diese viel=
leicht im Unwillen hingeworfenen Worte galten für eine
glückliche Weissagung.

Viele Gelehrte haben sich die unnütze Mühe gegeben,
darüber zu streiten, ob die Orakel Priesterbetrug oder ein
Werk der Dämonen gewesen. Das Erstere glaubte längst
jeder Verständige und selbst die griechischen Philosophen;
das Letztere wird vielleicht in unsern mystischen Zeiten auf's
neue geglaubt werden, und freilich, wenn eine Begeben=
heit, welche Herodot erzählt, für wahr gehalten werden
dürfte, so müßten wohl Dämonen im Spiel gewesen sein.
Crösus nämlich legte, in weiter Entfernung, durch seine
Gesandten dem delphischen Orakel die verfängliche Frage
vor: »was er jetzt daheim mache?« — Das Orakel ant=
wortete: »Ich kenne die Zahl des Sandes, die Tiefe des
Meeres, ich verstehe die Stummen und höre die Sprachlo=
sen. Ich empfinde den Geruch von einer Schildkröte, die
mit Lammfleisch in Kupfer gekocht wird.« — Und wirklich
kochte Crösus in demselben Augenblicke eine Schildkröte
mit Lammfleisch in einem kupfernen Kessel.

Die Götter gaben ihre Sprüche entweder mit eigenen
hohlen Stimmen, oder durch Dolmetscher, durch Träume,

durch das Los. Zu Dobona, vom Deukalion nach der
großen Ueberschwemmung erbaut, war das älteste Orakel
Jupiters: von einer schwarzen, aus Aegypten entflohenen
Taube gegründet, die sich dort auf einem Eichbaum nie=
derließ und redete. Herodot erklärt diese Fabel durch eine
aus Aegypten gekommene Jungfrau, die, anfangs nur
ihrer Landessprache kundig, nachher die griechische erler=
net und gewahrsagt habe. (Ein griechischer Dichter legt auch
der Cassandra den Namen einer Taube bei, und auf den
Hieroglyphen sollen die Witwen durch schwarze Tauben
bezeichnet werden.) Anfangs haben Männer, später drei
alte Frauen die Orakel ausgesprochen. Jene hießen To=
muri, diese Tomurä, eine Benennung, die bald jedem
Propheten eigen wurde. Den Tempel zu Dobona umgab
ein heiliger Eichenhain, in dem die besten Eicheln wuchsen,
und wo Dryaden, Faunen, Satyren im Schatten der
Bäume muthwillig scherzten. Diese Eichen redeten mit
menschlicher Stimme und göttlichem Geiste. Das Schiff
der Argonauten war aus ihnen erbaut und besaß auch die
Gabe zu reden. Vermuthlich stiegen die Priester in hohle
Bäume oder verbargen sich in den Zweigen. — Eine an=
dere Art der Weissagung zu Dobona ließ sich durch den
Klang eherner Kessel vernehmen, die so kunstreich um den
Tempel hergestellt waren, daß, Einer angeschlagen, sie
alle tönten. Aristoteles hingegen erzählt von zwei Säulen,
an deren einer eine solche Pauke hing, auf der andern habe

ein eiferner Stab, in der Hand eines Knaben, vom Winde
bewegt, die Pauke berührt.

Gleiches Ursprungs mit dem zu Dodona war das
Orakel des Jupiter Ammon in Lybien, und gleich berühmt.
Obschon in der afrikanischen Wüste gelegen, drang Alexander doch bis dahin, um sich für einen Sohn des Jupiter
erklären zu laffen. — Zu Creta, Elis u. f. w. fanden die
Gläubigen noch mehrere Jupiters-Orakel, doch minder
alt und berühmt als jene beiden. — Eigentlich war und
blieb Apoll im Besitz des höchsten Ansehens, wenn von
Orakeln die Rede war. Wer kennt nicht das delphische,
wo Menschen und Geschenke zusammenströmten, und die
deutlichsten sowohl als zuverläffigsten Göttersprüche verkün=
det wurden. Den Beinamen Pythius trug hier Apoll,
von Ueberwindung einer Schlange oder eines Tirannen
Python, der einst hier hauste; seine Priesterin hieß Py=
thia. Delphi lag in der Mitte Griechenlands, man meinte
sogar in der Mitte der Welt, denn Jupiter, als er diesen
Mittelpunkt erforschen wollte, sandte zwei Adler aus, den
Einen gegen Osten, den Andern gegen Westen; sie umkrei-
sten den Erdball mit gleicher Geschwindigkeit, und trafen
in Delphi wiederum zusammen. Darum nannten auch die
Dichter diese Stadt den Nabel, und ein weißer Stein,
in Form eines Nabels, hing im Tempel.

Das delphische Orakel gehörte einst der Themis, die
aber durch Gewalt vom Apoll verdrängt wurde, denn Gewalt ist das älteste Recht der Erden= und Himmels=Göt-

ter. Jahrhunderte vor dem trojanischen Kriege stand es schon in hoher Achtung. Ziegen waren dessen Entdecker. Sie wurden geweidet am Berge Parnaß von ihrem Hirten Coretas, welcher bald bemerkte, daß jede Ziege, die einer gewissen Höhle sich nahte, seltsam hüpfte und fremde Töne von sich gab. Neugierig trat er selbst vor die Höhle; plötzlich ergriff auch ihn eine Tanz = Wuth, und er weissagte. Als es kund wurde, strömte das Volk haufenweis zu der Höhle, und wer hinein sah, wurde begeistert, viele zum eigenen Verderben, denn die göttliche Raserei stürzte sie in den Abgrund. Da wurde dem Volke verboten, sich der Grotte zu nähern. Man setzte einen Dreifuß an die Oeffnung und auf demselben eine Jungfrau, um die Göttersprüche zu verkünden. Welche Form dieser Dreifuß ursprünglich gehabt? woraus er bestanden? darüber gibt es manche Sagen. Einen von Erz, den oft die Dichter rühmten, schenkte der König von Elis; einen goldenen, der Zufall. Den Fischern zu Milet kauften einige, am Ufer Stehende, ihren Fischzug ab, noch ehe er aus den Fluten zum Vorschein gekommen. Als nun das Netz herauf gezogen wurde, befand der goldene Dreifuß sich darinnen; den begehrten die Käufer, weil sie den ganzen Zug bezahlt, und die Fischer wollten ihn behalten, weil sie blos die Fische verkauft. Das Orakel mußte entscheiden, und es sprach ihn dem Weisesten zu. Damals lebten die berühmten sieben Weisen Griechenlands. Einem von diesen wurde er gebracht. Allein in jener guten alten Zeit waren die Weisen noch be=

scheiben, einer schob ihn dem andern zu, und so weihte man ihn endlich dem Quell der Weisheit, dem Apoll. Heutzutage würde er sicher bei dem ersten geblieben sein. Die Lateiner nannten ihn Cortina, von dem Zelt oder Vorhang, unter welchem er stand. Dieses Nebenumstandes wird hier blos erwähnt, weil auf unsern Bühnen die Cortine ihre Benennung davon ableitet. — Die erste und berühmteste Pythia hieß Phömonoe, welche auch zuerst in Versen weissagte. Holde Jungfrauen waren diese Priesterinnen, bis die Liebe eine derselben verstrickte. Um für die Zukunft solchem Aergerniß vorzubeugen, wählte man das einzige kräftige Mittel: nur eine Frau über fünfzig Jahre durfte Pythia werden. Doch trug sie immerfort ein jungfräuliches Gewand und legte das überflüssige Keuschheitsgelübbe ab. Salben und Purpurkleider waren ihr untersagt. Ehe sie den Dreifuß bestieg, wusch sie Körper und Haare in der heiligen Quelle Castalis, am Fuße des Parnassus, aus welcher auch die begeisterten Dichter zu trinken pflegten. Dann setzte sie sich auf den mit Lorbeerkränzen geschmückten Dreifuß, schüttelte den nahen Lorbeerbaum, pflückte Blätter von demselben und kaute sie. In kurzem fing sie an zu schwellen, Schaum trat ihr vor den Mund, sie sprang auf, taumelte im Kreise, riß das Haar sich aus und schlug die Nägel in das blutende Fleisch. Mehr oder minder furchtbar wurde ihre Raserei, je nachdem der Geist, der in sie fuhr, ein guter oder böser Dämon war. Bisweilen starb sie während der Raserei. — Ihre Verse, obgleich vom

Apoll selbst eingegeben, waren gewöhnlich schlechte Hexa=
meter, nicht zu vergleichen mit denen des Hesiod und Ho=
mer. So fehlte es zum Beispiel jenem Verse an Erhaben=
heit, durch welchen sie einst den Sophocles für weise, den
Euripides für weiser, den Sokrates aber für den Weisesten
unter den Sterblichen erklärte. Doch was lag an der Ein=
kleidung, da die Sprüche selbst die deutlichsten und so zu=
verlässig waren, daß man sich ihrer gleichnißweise zu bedie=
nen pflegte, um eine untrügliche Wahrheit zu bezeichnen.
So wenigstens in ältern Zeiten. Später versagt ihnen Ci=
cero diesen Ruhm, und schon dreihundert Jahre vor Cicero
klagte Demosthenes, daß die Pythia philippsire (er
meinte nämlich, sie sei von Philipp von Macedonien be=
stochen, und rede, was er ihr eingegeben). Es sind noch
mehrere Beispiele von solchen Bestechungen kund geworden,
auch war es sehr natürlich, daß ein kluger, schlauer Fürst
oder Heerführer sich, wenn er konnte, dieses Mittels be=
diente, um das Volk zu lenken.

Man sagt gemeiniglich, daß nach der Geburt Christi alle
heidnische Orakel geschwiegen haben, allein das ist nur ein
frommer Betrug. Erst nachdem Kaiser Konstantin den hei=
ligen Dreifuß nach Konstantinopel bringen lassen, kam das
delphische Orakel in Verfall; aber auch dann noch schwieg
es nicht ganz, denn Julian der Abtrünnige erhielt noch
von ihm die klagende Antwort: »Die künstliche Wohnung
ist gesunken; Phöbus hat keine Hütte, keinen weissagenden
Lorbeer, keine geschwätzige Quelle mehr.« — Vermuthlich

war der Ort, wie in neuern Zeiten Loretto, aller der kost=
baren, von Königen und Völkern seit vielen Jahrhunder=
ten zusammengehäuften Schätze beraubt worden.

Auf der Insel Delos, berühmt durch die Geburt des
Apoll's und der Diana, stand Apoll als ein Drache abge=
bildet, und die Orakelsprüche, die er dort verkündete, wur=
den nie zweideutig ausgesprochen oder in dunkle Worte
verhüllt; ein Vorzug, den sie vor allen Orakeln Griechen=
lands behaupteten. Kein Blut befleckte den Altar zu De=
los; kein Kind durfte auf dieser Insel geboren werden, kein
Mensch auf ihr sterben, kein Hund sie betreten.

Seit Theseus den Minotaurus besiegt, wallfahrteten,
zu Erfüllung seines Gelübdes, die Athenienser einmal jähr=
lich nach Delos, in demselben Schiffe, welches einst den The=
seus mit seinen Gefährten nach Creta trug. Freilich war es
unterdessen so oft ausgebessert worden, daß Plutarch die Frage
aufwirft: ob man es noch dasselbe nennen dürfe? — So=
bald der Priester Apoll's das Steuerruder dieses Schiffes
mit Kränzen geschmückt hatte, wurden die Anker gelichtet.
Alsobald fing man an, die Stadt zu reinigen; kein Misse=
thäter wurde vor dessen Zurückkunft getödtet, wodurch auch
das kostbare Leben des Sokrates um dreißig Tage verlän=
gert wurde. Die Pilgrimme von Delos ehrte man, wie noch
jetzt die von Mecca. Das Volk lief ihnen entgegen und be=
grüßte sie freundlich.

Noch in vielen Städten Griechenlands weissagte Apoll;
denn so wie in der Christenheit jedes Kloster seine wun=

thätigen Reliquien zu besitzen strebte, so trachteten auch die griechischen Priester nach dem einträglichen Ruhme der Orakel. Das zu Didyma im milesischen Gebiete wird als gleichen Ranges mit den schon beschriebenen genannt.

Das Orakel in der Höhle des Trophonius war sonder Zweifel ein Sprößling des delphischen; denn niemand kannte es, niemand wußte um diese Höhle, bis einst die Böotier bei großer Dürre den Gott zu Delphi um Regen baten, und er, statt aller Antwort, sie zurück nach Lebadia zum Trophonius verwies. Die Abgeordneten gehorchten, doch in großer Verlegenheit, denn sie wußten nichts von diesem Trophonius, bis einer von ihnen den glücklichen Einfall hatte, einem Bienenschwarm zu folgen, der ihn gerdesweges in die Höhle des Trophonius führte, wo ihn vermuthlich schon längst ein unterrichteter Priester erwartete, und mit einer günstigen Weissagung entließ. Der Rathfragende, gewaschen und gesalbt, trank aus einer Quelle, die ihn alles vergessen machte, was er bisher gewußt, dann aus einer andern, die sein Gedächtniß für die Wunder stärkte, die er hören und sehen sollte; beugte sich vor der Bildsäule des Trophonius, stieg dann auf eine Leiter in die Grotte, wo er Gaukelbilder sah oder Stimmen vernahm. Bei seiner Zurückkunft setzte man ihn auf den Thron der Mnemosyne oder des Gedächtnisses, und trug ihn dann in eine Kapelle des guten Genius. Endlich kehrte sein Bewußtsein zurück und er lachte überlaut. Was ihm in der Höhle wiederfahren, mußte er auf eine Tafel schreiben und niederlegen. — Es wurde zum Sprichwort unter den Griechen, von einem düstern, schwermüthigen Menschen zu sagen: er hat das Orakel des Tropho= nius um Rath gefragt; denn alle die von dort zurück= kamen, wurden gewöhnlich ernst und menschenscheu. Nur Timarchus, ein edler Jüngling, kehrte fröhlich heim, als er gegangen war, um zu erfahren, wie mächtig der Genius des Sokrates sei. Man hatte ihm in der Grotte eine Menge schimmernder Inseln vorgegaukelt.

Amphiaraus, ein berühmter, einst von der Erde verschlungener Wahrsager, hatte einen prächtigen Tempel, in dem er durch Träume die Zukunft verkündete. Der Träu= mende schlief auf der Haut des Opferthieres.

Merkur weissagte in Achaja auf eine ganz besondere Weise. Der Fragende, nachdem er geopfert, hielt sich, bis auf eine gewisse Entfernung, beide Ohren zu, und wenn er sie endlich wieder öffnete, so war die erste Stimme, die er vernahm, ein Götterspruch. — Herkules reichte den Fragenden geheimnißvoll bezeichnete Würfel. Aus den Zei= chen, die ihm fielen, erklärte dann ein Buch sein Schic= sal. — Ceres, in Krankheiten befragt, ertheilte ihren Rath durch Bilder, die ein Spiegel zurückwarf. — Aesculap, zu Epidaurus, verordnete Heilmittel den Träumenden. (Die erste Spur des Magnetismus.) Die Genesenen schrie= ben ihre Namen, ihre Krankheit und empfangene Hilfe auf Tafeln, die zurückblieben. Als eine Pest zu Rom wü= thete, baten die Römer um diesen wohlthätigen Gott, den auszuliefern, die Epidaurier sehr natürlich sich weigerten. Aber Aesculap, in Gestalt einer Schlange, kroch selbst in das Schiff, und wurde mit großem Pomp nach Rom ge= bracht; wo ihm, zum Dank für die geleistete Hilfe, auf einer Tiber=Insel ein Tempel errichtet wurde, der noch steht. — Noch mehrere Götter befaßten sich hie und da mit Orakelsprüchen, auch das Haupt des O r p h e u s, der Leichnam des U l y s s e s u. s. w., doch von den meisten könnte man nur ein trockenes Namens=Verzeichniß liefern, und die Zahl dieser Namen würde bis gegen dreihundert anwachsen. Der Leser mag immerhin lächeln über die Leichtgläubigkeit der hochgerühmten Griechen.

———

Die Griechen.

Eine Skizze für Damen.

Zweites Buch.

XVI.   10

1. Die Wahrsager, Zauberer.

Von den Göttern selbst kamen die Orakel, Menschen äff=
ten sie nach. Die Sybillen schwollen, schäumten, heulten,
zuckten, gleich der Pythia, bekränzten auch ihr Haupt mit
Lorbeern, rühmten sich auch der unbefleckten Keuschheit
(obgleich Cassandra Agamemnon's Beischläferin war), kau=
ten Lorbeerblätter, aßen Herzen und Lebern mancher Vögel
und Thiere. Bauchredner waren die meisten und galten
für Besessene von Dämonen. Einige lebten, wie die Sage
ging, tausend Jahre, andere schliefen Jahrhunderte lang,
und verkündeten erwachend die seltsamen Dinge, die sie
schlafend erblicket. So lag der Cretenser Epimenides
fünfundsiebzig Jahre. Die Griechen wähnten, die Seele
könne auf einige Zeit den Körper verlassen, die Welt durch-
wandern, mit Verstorbenen und Göttern Umgang pflegen.
Plutarch erzählt ein solches Beispiel von der Seele Her=
modor's. Darum weissagten auch die Sterbenden, deren
Seele schon die Bande des Körpers zerriß. So verkündet
der sterbende Hector beim Homer dem Achilles Ort und
Urheber seines Todes.

Im Traume erschienen die Götter den Sterblichen.
Im Traume sah Agamemnon den Gott der Träume in
Nestor's Gestalt, der ihn ermunterte, den Trojanern eine
Schlacht zu liefern. Im Traume verwies Proserpina dem
Pindar, daß er ihr zu Ehren noch keine Hymne verfertigt.

10 *

143

Der Dichter starb und erschien wiederum im Traume einer
Verwandtin, ihr die von der Göttin begehrte Hymne vor=
beklamirend. Alexander dem Großen träumte, er werde
von Cassander umgebracht; dem Crösus, ein eiserner Spieß
werde seinen Sohn Atys erschlagen. — Bildliche Träume
deuteten auf eine merkwürdige Zukunft. Hekuba träumte,
sie sei schwanger mit einem Feuerbrande, Cäsar, er liege
bei seiner Mutter, eine Prophezeihung der Herrschaft über
die Mutter Erde. Diese hielt man auch besonders für die
Erzeugerin der Träume. Nach ihr die unterirdischen Geister,
die Hekate und Luna, und den Gott des Schlafs, der in
einer finstern Höhle auf dem Wege zum Orkus hauste. Er
war umringt von ganzen Scharen abenteuerlich gestalteter
Träume, die er aussandte, wohin er wollte. Die echten,
glaubwürdigen Träume erschienen gegen Morgen. Wer
solche zu haben wünschte, enthielt sich der Bohnen und
rohen Früchte, oder fastete auch wohl gar, legte sich schla=
fen in einem weißen Gewande, und opferte zuvor dem
Merkur. Wurde sein Wunsch erfüllt, so hielt er sich doch
selten fähig, die Träume selber auszulegen, und wandte
sich an die Traumdeuter, deren Kunst so hoch geach=
tet wurde, daß wir noch jetzt eine Menge Bücher besitzen,
in welchen man sich bemühte, sie zu lehren. Drohende
Träume vertraute man den Göttern, um Abwendung der
Gefahren bittend. So Clytemnestra beim Sophocles.

Eine andere Gattung der Wahrsagungen boten die
Opfer dar: diese oder jene Bewegung des Opferthieres,

oder von deſſen Eingeweiden, oder die Flamme, die es
verzehrte, oder Kuchen und Mehl, Wein und Waſſer.
Geſunde Eingeweide waren ein glückliches Zeichen, vor
allen wurde die Leber unterſucht, von der man wähnte,
ſie bereite den Nahrunsſaft. Dem Alexander und Hephä-
ſtion wurde der Tod verkündigt, weil die Leber ihrer Opfer=
thiere mangelhaft befunden wurde. Bisweilen gab man
auch wohl vor, gar kein Herz zu finden — ein tödtliches
Zeichen! — Den Tod des Königs Pyrrhus verkündeten
ſogar die abgehauenen Köpfe, die ihr eigenes Blut leckten;
und Cimon mußte ſterben, weil die Ameiſen das Blut
des Opferthieres auf ſeinen Fuß trugen. — Eine reine,
raſche, gerade emporſteigende, ſchnell verzehrende Flamme
war ein günſtiges Zeichen; aber wehe, wenn ſie träge, mit
vielem Rauche brannte, oder gar von Sturm und Regen
ausgelöſcht wurde! Im Krieg oder Feindſchaft gab des
Thieres Galle ſichere Kunde, weil Feindſchaft bitter iſt wie
Galle. Blieben alle Zeichen zweideutig, ſo warf der Prieſter
die Harnblaſe in die Flamme, beobachtend, wo ſie platzte,
und Glück weiſſagend, wenn der Harn ihn ſelber beſpritzte.
Wie groß das Vertrauen zu dieſen Künſten war, bewieſen
die Spartaner unter ihrem Feldherrn Pauſanias, die ſich
von den Perſern geduldig verwunden und tödten ließen,
ohne ſich zu widerſetzen, weil des Opferthieres Eingeweide
bedenklich ausſahen.

Doch nicht allein die geſchlachteten Opferthiere, ſon=
dern auch die frei herum fliegenden Vögel mußten als

Wahrſager dienen, und ſelten wurde in Kriegs= und Frie=
benszeiten etwas von Wichtigkeit beſchloſſen, ohne die
Einwilligung der Vögel. Man wähnte, dieſe wüßten um
die geheimſten Handlungen der Menſchen, und flögen hin
und her, um Alles zu beobachten. Das beweiſen mehrere
Stellen in der Poſſe des Ariſtophanes, in welcher die Vögel
redend auftraten. Es war ein Sprichwort: »Niemand
weiß, was ich gethan, als etwa ein Vogel.«

König und Senat von Lacedämon hielten immerwäh=
rend einen Augur, mit geſchmeidigem Halſe, der den Flug
der Vögel beobachten mußte. Weiße Gewänder und einen
goldenen Kranz trugen die Auguren. Sie hatten einen be=
ſtimmten Platz zu ihren Beobachtungen, und verſtanden
die Kunſt, die Vögel anzulocken. Gegen Morgen zeigten
ſich die glücklichen Vorbedeutungen, gegen Abend die un=
glücklichen. Wem eine Schar verſchiedener Vögel umflat=
terte, dem ſtand ein Glück bevor. Das wiederfuhr, der
Sage nach, dem Gordius, der vom Pfluge auf den
Thron ſtieg.

Ein behaglich in der Luft, von der Rechten zur Linken
ſich wiegender Adler war ein Glücksbote, und was ſein
Flug nicht deutlich genug ausſprach, das verkündete ſein
Raub. Penelope erwartete mit Zuverſicht die Zurückkunft
des Ulyſſes und die Beſtrafung ihrer Freier, weil einmal
dem Telemach zur Rechten ein Adler eine Gans erbeutete,
und ein andermal ihr zwanzig Maſtgänſe auf ihrem Hofe
würgte. Die muthlos gewordenen Griechen ſchlugen den=

noch die Trojaner, als ein Adler ein Reh auf Jupiter's Altar fallen ließ. — Hingegen als Hektor die griechische Flotte verbrennen wollte, mußte solches mißlingen, weil ein Adler zur Linken eine sich sträubende Schlange mußte fallen lassen. — Fast in gleichem Ansehen standen die Geier, deren Anblick stets den Herkules erfreute, und die er, Gott weiß warum, unter allen Raubvögeln für die bil= ligsten hielt. — Der Habicht stand im übeln Rufe. Der Falke war ein Bote Apoll's. Die Schwalben wurden mit Schrecken gesehen. Dem Pyrrhus und Anto= nius verkündeten sie Niederlagen, als sie auf dem Zelte des Erstern und dem Schiffe des Letztern sich erblicken lie= ßen. — Die Eule war allen Griechen verhaßt, nur zu Athen, der Minerva geweiht, ein glückbringender Vogel. — Die Taube und der Schwan, willkommene Boten, die Krähen, Raben, Elstern, Furcht erregende, beson= ders, wenn sie zur Linken krächzten. Sie weissagten Ale= xander's Tod bei dessen Einzug in Babylon. Es hieß, Apollo selbst habe ihnen diese Gnade verliehen. Wem die Griechen Unglück wünschen wollten, den schickten sie zu den Raben.

Die Hähne, dem Mars heilig, bewiesen ihre Künste besonders in Kriegszeiten. Ihr Krähen vorbedeutete den Sieg des Themistocles über die Perser, zu dessen Andenken jährlich ein Hahnengefecht auf dem Theater zu schauen war.

Mancher rühmte sich die Sprache der Vögel zu ver= stehen. Apollonius von Tyana, mit seinen Freunden an einem Fenster sitzend, vor dem ein Sperling zwitscherte, erzählte, dieser Sperling vertraue eben seinen Brüdern, daß ein Maulesel einen Sack mit Korn verschüttet habe; sie möchten eilig zum Schmause kommen. Die Gesellschaft ging hinab, und fand es richtig so. Auch Democrit gab vor, der Vögelsprache kundig zu sein.

Ameisen blieben nicht unbemerkt in ihrer kleinen Republik. Wie sie Cimon's Tod verkündigten, wurde schon erzählt. Dem phrygischen König Midas trugen sie einst — er war noch ein Kind und schlief — Getreidekörner in den Mund, ein Zeichen großen Reichthums. — Die Bienen weissagten künftige Beredsamkeit, und man durfte ihnen glauben, denn sie hatten sich dem Plato in der Wiege auf die Lippe gesetzt, und den verlassenen Pindar mit Honig statt der Milch ernährt. — Kurz, man suchte und fand bei allen Thieren, oft bei den verachtesten, die beliebte Wahrsagerkunst. Heuschrecken und Kröten, Schlangen, Eber und Hasen waren davon nicht ausgeschlossen. Ein Hase prophezeite dem zahllosen Heere des Xerxes eine schimpfliche Flucht.

Wenn die Erde und ihre Bewohner nicht hinreichten, eine Furcht oder Hoffnung zu erwecken, so wandte man den Blick zum Himmel. Kometen, Sonnen= und Mondfinsternisse waren schreckliche Zeichen, vor denen nicht das Volk allein, auch seine Führer bebten. Den athenienfischen Feldherrn Nicias machte eine Mondfinsterniß so muthlos, daß er ohne Kampf die Waffen zu strecken

befahl. Der Glaube, der die Götter selbst zu Urhebern die=
ser Verfinsterungen machte, war den Griechen so lieb, daß
Anaragoras in Lebensgefahr gerieth, als er aus natür=
lichen Ursachen sie zu erklären wagte. — Blitze zur Rech=
ten bedeuteten Sieg. »Wißt ihr noch,« sprach Nestor, »daß
an dem Tage, als wir zu Schiffe gingen, ein Blitz zur
Rechten uns die Zerstörung Troja's verheißen?«

Mit froher Hoffnung sahen die Schiffer das sogenannte
St. Elmo's Feuer. Es belebte den Muth der Argonauten,
als es mit getheilter Flamme auf den Häuptern des Castor
und Pollux erschien.

Erdbeben verbreiteten schwarze Ahnungen. Man
opferte dem Neptun, um dessen Zorn abzuwenden, denn
es ist merkwürdig, daß schon die Griechen, wie heute unsere
gelehrtesten Physiker, das Entstehen der Erdbeben dem
Meere zuschrieben. — Auch im Gebrüll des Donners, im
Geheul des Sturmes hörte man weissagende Stimmen.
Den vom Donner gedrohten Unglück konnte man durch
Dankopfer zuvorkommen, allein der Blitz wurde mit un=
thätiger Ehrfurcht angebetet. Höchstens erlaubte man sich
zu zischen oder zu pfeifen, um dessen verderbliche Wirkung
zu hemmen; daher sagt Jupiter beim Aristophanes: »Wenn
ich blitze, so werden sie zischen.« — Was der Blitz berührt
hatte, wurde mit heiliger Scheu geflohen, denn es war
den Göttern verhaßt. Der vom Blitz Erschlagene wurde,
gleich dem Missethäter, in einem öden Winkel begraben.
Oft errichtete man auch Altäre an Orten, die der Blitz

getroffen, um die Götter mit solchen, von ihnen gehaßten Plätzen auszusöhnen.

Und alles das war noch nicht hinreichend, um den Durst der Griechen nach Enthüllung des Zukünftigen zu stillen. Sie nahmen auch das Los zu Hilfe. Sie schrieben Verse auf kleine Zettel, warfen sie in ein Gefäß, zogen einen, und lasen ihr Schicksal. Sie schlugen einen Dichter auf (wie abergläubige Christen die Bibel) und die erste Stelle, auf welche sie trafen, galt für eine Prophezeiung. Vor allen bediente man sich hiezu des Homer, doch wurde auch nicht selten Euripides zum Propheten gemacht. — Kieselsteine, Würfel, schwarze und weiße Bohnen, kleine Stäbe, wurden auf ähnliche Weise benutzt. Oder man warf eine Hand voll Pfeile in die Luft und beobachtete ihren Fall. Manche trugen auch die Lose mit sich herum, und baten den ersten besten Knaben, der ihnen begegnete, eines zu ziehen.

Vorbedeutend waren ferner: ein Mahl am Kör= per — eine plötzliche Verwirrung, das sogenannte pa= nische Schrecken (denn der Gott Pan sollte dessen Urheber sein. Alexander's Heer wurde einst davon ergriffen). — Das Herzklopfen — Ohrenklingen — Zit= tern der Augen (beides glücklich auf der rechten Seite) das Niesen — welches die Griechen sogar göttlich ver= ehrten. Daher der Gebrauch, einem Niesenden Gesundheit anzuwünschen. Ammianus beklagt in einem Epigramm einen Menschen, dessen ungeheure Nase so weit vom Ohr entfernt gewesen, daß er sein eigenes Niesen nicht gehört. Das

war allerdings beklagenswerth, denn nicht blos die Umste=
henden wünschten dem Niesenden Gesundheit, sondern auch
er sich selbst. — Xenophon wurde Feldherr, weil während
seiner Rede Jemand nieste. Selbst der weise Sokrates hielt
das Niesen für eine Erinnerung des Dämon. Penelope freut
sich, da Telemach niest, und die Mädchen beim T h e o c r i t
wünschen dem Bräutigam Menelaus Glück, weil Jemand
geniest hat, als er nach Sparta kam. — Indessen war das
Niesen auch wiederum nicht selten Unglück bringend, bei
Tische oder in ungleicher Zahl, oder von Mitternacht bis
Mittag. Wer alle die griechischen Albernheiten, das Niesen
betreffend, erzählen wollte, müßte ein Buch, ein dickes
Buch schreiben.

Ein ungewöhnlicher Schein — das Aufspringen einer
Tempelpforte — das Umfallen einer göttlichen Bildsäule
oder wenn auch nur zufällig etwas von ihr zu Boden fiel
(so wie es einst dem Schild der Diana wiederfuhr) — ver=
trocknete, oder unverhofft wieder blühende Bäume — Miß=
geburten — Ueberschwemmungen — Thierstimmen — mit
einem Worte, fast alles Belebte und Unbelebte mußte den
Griechen weissagen.

Dem Reisenden lieferte ein Hippokrates (aber nicht
der berühmte Arzt) eine lange Liste von Geschöpfen, die
ihm begegnen oder nicht begegnen durften. Die Hasen, die
noch jetzt dem Fuhrmann nicht über die Wege springen
dürfen, waren auch damals schon verrufen. Die Erschei=
nung einer Wiesel reichte hin, um eine öffentliche Versamm=

lung aufzuschieben. Doch besonders jede gute Hoffnung zerstörend, war der Anblick eines s p i n n e n d e n F r a u e n = z i m m e r s, oder auch nur einer unverdeckt getragenen S p i n d e l. Wodurch das schöne Sinnbild der Häuslichkeit so furchtbar geworden, ist unbekannt. — Im Hause durfte kein Salz verstreut, kein Wasser, Honig oder Wein ver= schüttet, kein Gewand links angezogen, kein linker Schuh zuerst gereicht werden; es durfte kein schwarzer Hund in die Wohnung laufen, keine Maus einen Beutel zerfressen u. s. w. Der Kaiser Augustus selbst war nicht frei von solchem Aberglauben. Auch gewisse W o r t e mußte man sich hüten auszusprechen, und gewisse Z e i t e n oder T a g e behutsam meiden. Das Böse, welches Jene drohten, konnte man jedoch durch die schnelle Antwort abwenden: d a s k o m m e a u f d e i n e n K o p f. Jon, beim Euri= pides, hört ein solches Wort, indem er trinken will, gießt den Wein sogleich auf die Erde, und läßt sich einen an= dern Becher reichen.

Daß unter einem so gläubigen Volke, wie die Grie= chen waren, auch die Z a u b e r e i im Schwange ging, kann nicht befremden. Sie wurde, so geht die Sage, zuerst durch einen Magier des Xerxes nach Griechenland gebracht, und später durch den Democrit aus den Schriften der Phö= nicier vervollkommt. Man ließ Verstorbene erscheinen und antworten. Man bewirkte das durch einen Knochen des Leichnams, oder indem man warmes Blut in ihn goß, um ihn gleichsam auf's neue zu beleben. Man opferte da=

bei schwarze Thiere, bisweilen sogar Mädchen und Kna=
ben. Es gab verschiedene Orte, wo solche Geister=Cita=
tionen am sichersten zu gelingen pflegten. Zu diesen gehörte
auch der See Avernus in Campanien. — Andere Zau=
berer bedienten sich des Wassers, der Ringe, Spiegel, Steine,
Gläser, Fackeln, der Nägel eines unschuldigen Knaben, der
gebratenen Eselsköpfe, der Kräuter, des geschmolzenen Bleies
oder Wachses, (wie noch jetzt in der Neujahrsnacht) u. s. w.
Andere bildeten einen Kreis von Buchstaben, legten auf
jeden derselben ein Gerstenkorn, und ließen dann einen
Hahn dazwischen herumspaziren. Diejenigen Buchstaben
von welchen er die Körner fraß, wurden zusammengelegt,
und so gut es gehen wollte, bedeutende Worte daraus
gemacht. Dieser Wahrsagung bediente sich, zum Bei=
spiel, ein bekannter Zauberer Jamblichus, um den Nach=
folger des Kaisers Valens zu erfahren. Der Hahn fraß von
den Buchstaben D. E. O. D., und so blieb es ungewiß,
ob Theodosius, Theodotus, Theodorus, oder
Theodectes gemeint sei. Viele, deren Namen unglück=
licherweise mit D. E. O. D. begannen, ließ der ergrimmte
Kaiser tödten, und Jamblichus selbst nahm Gift, um der
Rache zu entgehen.

Durch eine Mischung von giftigen Kräutern und Mi=
neralien wußten einige Blindheit, Raserei, Liebe und der=
gleichen zu bewirken; Circe sogar die Gefährten des Ulysses
zu verwandeln. So war das Kleid beschaffen, welches Me=
dea der Creusa schickte. Doch gab es auch gewisse Amulette,

welche dagegen schützten. — Ovid läßt eine Zauberin sich
rühmen, daß sie den Mond aus seinem Kreise ziehen könne.
Auch die Verfinsterungen des Mondes schrieb man Zauber-
kräften zu, und suchte sie, wie noch jetzt die Wilden, durch
Pauken- und Trompeten-Schall zu vertreiben. — Der lie-
benswürdigste Zauberer war Orpheus, denn sein Zaubermittel, das er auf Mozart vererbte, bestand in der Musik.

Liebe einzuflößen, gab es Zaubergürtel; Juno empfing
schon einen solchen aus den Händen der Venus, um Jupiter's Liebe zu entflammen. Die meisten Zaubereien dieser
Art mochten wohl zu allen Zeiten durch schöne Augen geschehen. Aber den Augen traute man auch oft viel Böses
zu. Es gebe Menschen, hieß es, die blos durch ihre Blicke
Kindern schädlich würden, ja sie tödten könnten. Dieselbe verderbliche Wirkung schrieb man auch dem Lobe
mancher Menschen zu (der Ammenglaube unserer Tage).
Merkwürdig ist, daß besonders Selbst-Lob den Göttern
mißfällig war, und daß daher die Schlegels jener Zeit,
mehr als andere, von Bezauberungen zu fürchten hatten.
Merkwürdig ist ferner, daß unsere alten Weiber die Gewohnheit, bei dem Lobe eines Kindes auszuspucken, oder
Gott behüte es zu sagen, von den Römern gelernt
haben. — Eine andere Art, die Bezauberungen zu entkräften, war, wenn man dreimal in seinen eigenen Busen
spuckte; darum pflegte man den Schlegels jener Zeit scherzend zuzurufen: »Spucket geschwind in euren Busen.« —
Um von Häusern, Gärten, Pforten die Zaubereien ab-

zuwenden, ſetzte man häßliche, ekelerregende Bilder über
die Thüren. Der Reiſende kann davon eines noch heute in
Pompeji ſchauen.

2. Die Feſte der Griechen.

In den älteſten Zeiten ſpricht Ariſtoteles, gab es nur
Erntefeſte, wobei von fröhlich Schmauſenden die Erſt=
linge den Göttern geopfert wurden. Mit der Zahl der Götter
und den erkünſtelten Bedürfniſſen des Menſchen mehrten
ſich die Feſte, Spiele und Gebräuche. Die feierlichen Auf=
züge, meiſtens, wie unſer Frohnleichnamsfeſt, die Geſchichte
des Gottes darſtellend, den man ehren wollte, fielen bald
durch ihre Koſtbarkeit dem Staate ſehr zur Laſt. Unter allen
Griechen liebten am meiſten die Athenienſer, den Franzoſen
ähnlich, das Schaugepränge, und hatten zweimal mehr
Feſte als irgend einer ihrer Nachbarn. Gerichtshöfe und
Werkſtätte blieben verſchloſſen an ſolchen Tagen, alles ju=
belte und faullenzte.

Was der öffentliche Schatz, der die Feſte beſtreiten mußte,
dadurch verlor, ſuchte man durch allerlei Mittel zu erſetzen,
das Vermögen der vertriebenen Tirannen wurde dieſem
Behuf gewidmet. Man erzeigte auch den reichſten Bür=
gern die koſtbare Ehre, ſie zu Beiträgen aufzufordern.

Alle Feſte der Griechen zu beſchreiben, würde für den
Verfaſſer und Leſer gleich ermüdend ſein. Nur was ſich
auszeichnet durch Größe oder Beſonderheit, ſoll hier ge=
nannt werden.

Ein Bacchusfest, Agrionia, wurde bei Nacht ge=
feiert. Da suchten die Weiber den Bacchus, gleichsam als
sei er entflohen, und wenn sie ihn nicht finden konnten, so
hieß es, er habe sich unter den Musen versteckt. Unbeküm=
mert schmausten nun die Weiber, unterhielten bei der Mahl=
zeit sich mit Räthseln, und endigten mit Ausschweifungen.
— Die sogenannte Adonia begingen die meisten Städte,
zum Andenken des von der Venus geliebten, tödtlich ver=
wundeten Adonis. Zwei Tage waren dem Feste geweiht;
am ersten trug man ihn zu Grabe; die wehklagenden Wei=
ber rauften sich die Haare aus, schlugen an die Brust, und
sangen Trauerlieder. Am zweiten überließ man sich der
ausgelassensten Freude, weil die gefällige Proserpina dem
Adonis vergönnt hatte, die Hälfte jedes Jahres bei der
Venus zuzubringen. Vielleicht war es ursprünglich ein Fest
der Frühlings=Sonnenwende. —
Bei den Peloponnesern wurden die Knaben jährlich ein=
mal an des Pelop's Grabmahl mit Ruthen gehauen, bis
das Blut herabfloß. — Der Erigone weihten die Athe=
nienser einen festlichen Tag. Aus Verzweiflung über den
Tod ihres Vaters Icarius hatte sie sich erhängt, und zu=
vor alle Jungfrauen Athens zu gleicher Todesart verwünscht,
wenn jener Mord ungerochen bliebe. Diese Verwünschung
brachte eine Wuth, sich zu erhängen, unter die Jungfrauen,
die nicht eher nachließ, bis jenes Fest die Erigone versöhnte.
— Auf der Insel Rhodus, dem vermeintlichen Geburts=
ort der Sonne, wurden dieser zu Ehren jährlich Kampf=

spiele von Männern und Knaben gehalten. Der Preis des
Siegers war ein Pappelkranz. — Die Früchte der Erde
opferten die Athenienser am Feste der Ceres und des Bac=
chus. — Ein häusliches Fest begingen sie nach der Geburt
jedes Kindes, wobei es um den Herd getragen wurde. —
Ein Bacchusfest, Anthesteria, drei Tage während. Am
ersten öffnete man nur die Fässer und kostete den Wein;
am zweiten wurde brav gezecht, und wer am längsten trin=
ken konnte, trug einen Siegeskranz und einen Schlauch
voll Wein davon. Der Schall der Posaunen lud die Zecher
zu diesem Wettstreit feierlich ein, und sie mußten, auf dem
vollen Schlauche stehend, ihre Humpen trinken. Dann
fuhren sie auch wohl durch die Straßen und lallten Scherze
den Vorübergehenden zu. Am dritten Tage erhub sich ein
edlerer Wettstreit: Die Dichter stellten ihre Lustspiele dar.
In Sparta wurde der Sieger zum freien Bürger aufge=
nommen. Auch die Sklaven durften an diesem Feste fröh=
lich sein, trinken und schwärmen. War es geendigt — ihnen
wohl immer zu früh — so wurde in den Straßen ausge=
rufen: »Heraus ihr Sklaven! die Anthesteria sind
vorbei!” — Die sogenannte Staatskunst, die unverschäm=
teste aller Künste, hatte zu Athen ein Fest, welches man
ohne zu erröthen, das Betrugsfest nannte. Einst stritten
die Böotier mit den Atheniensern um ein Stück Landes an
der Grenze. Ein persönlicher Zweikampf beider Könige sollte
entscheiden. Der König von Athen, damals ein gewisser
Thimötes, schlug den Zweikampf für die Rechte seines

XVI.   11

Volkes aus, und wurde dafür wie billig des Thrones ent=
setzt. Sein Nachfolger, Melanthus, nicht minder feige,
aber schlauer, wapnete sich, erschien, und rief sogleich un=
willig dem Gegner zu: nur Mann gegen Mann sollten
wir fechten, ich sehe aber einen dritten, in schwarzes Zie=
genfell gekleidet, der hinter dir steht." Verwundert
kehrte Xanthus, der König der Böotier, sich um, den
schwarzen Mann zu sehen, und diesen Augenblick benutzte
Melanthus, um ihn meuchlings zu ermorden. Diese schänd=
liche That verherrlichte man durch ein dreitägiges Fest. Am
ersten Abend schmausten die Stämme. Am andern Tage
opferte man, und die Kinder wurden in die Bürgerliste ein=
getragen. Köstlich Gekleidete liefen mit brennenden Fackeln
durch die Stadt, und sangen Hymnen dem Vulkan zu Eh=
ren. Am dritten wurde das Haar der Jünglinge beschnitten,
wobei die Väter schwören mußten, daß sie und ihre
Mutter freigeboren.

Zweien Ariadnen zu Ehren beging man zu Naxos
ein Fest; am ersten Tage fröhlich mit Musik, weil die
erste Ariadne ein munteres Mädchen gewesen; am zweiten
traurig, zur Erinnerung an die vom Theseus Verlassene.
Ein verkleideter Jüngling äffte die Schmerzen einer Ge=
bärerin nach, weil Ariadne auf den öden Felsen schwan=
ger zurückblieb. — Minerva vertraute einst der Tochter
des Cecrop's, Ersa, und ihren Schwestern ein verschlosse=
nes Behältniß, mit dem Verbot, es zu öffnen. Aus dieser
Fabel entsprang ein Fest, welches vier jungen Mädchen

aus den vornehmsten Geschlechtern ein Ehrentag wurde, denn sie trugen dann, in weißen mit Gold gestickten Kleidern allerlei verborgene Dinge, und webten auch ein Schleppkleid für Minerven, welches Peplon hieß. — Das Fest des Aesculap zeichnete sich aus durch einen Wettstreit zwischen Dichtkunst und Tonkunst. — Einen Wettstreit anderer Art begannen die Ackersleute an einem nur für sie bestimmten Bacchusfeste. Sie suchten nämlich mit einem Fuße auf einen Schlauch mit Wein und Oel gefüllt zu springen; der Abglitschende wurde ausgelacht, dem Sieger blieb der Schlauch. Die ländliche Jugend übte sich oft in diesem Spiele. — Das Fest der Venus Aphrodite wurde an mehrern Orten Griechenlands begangen: unter geheimnißvollen Gebräuchen. Die Eingeweihten brachten ein Stück Geld, und empfingen dagegen etwas Salz, und das Sinnbild der Wollust. Zu Corinth feierten es die Freudenmädchen, doch auch ehrbare Matronen in geschlossenen Kreisen. — Von fünf zu fünf Jahren wurde Diana im attischen Gebiet gefeiert. Der Ort hieß Brauron, und es stand daselbst die berühmte Bildsäule der Diana, die von Iphigenien aus Tauris gebracht worden. Junge Mädchen in gelben Kleidern wurden der Göttin geweiht, und Männer sangen ein Buch aus Homer's Iliade. — Venus, unter dem Namen Genetyllis, (Beschützerin der Zeugung), wurde an einem gewissen Tage von den Weibern verehrt, und empfing ein aus Hunden bestehendes Opfer. — Das Andenken eines Sieges, feierte man zu Sparta

11 *

durch Tänze, wo ehrbare Männer sich nackend mit nacken=
den Knaben mischten, und die Lieder der berühmtesten
Dichter absangen. — Die Platäenser waren einst sechzig
Jahre lang aus Griechenland verbannt. Das Andenken
dieser Verbannung feierten alle böotische Städte, von sech=
zig zu sechzig Jahren. Eine bräutlich geschmückte Bildsäule,
von einer Braut=Jungfrau begleitet, zog unter zahlreichem
Gefolge auf eines Berges Spitze, wo die reichen Geschenke
aller Städte auf einen Altar verbrannt wurden. Der Ur=
sprung dieses Gebrauches schrieb sich von einem der vielen
häuslichen Zwiste zwischen Jupiter und Juno her, den ein
weiser Platäenser durch den Rath geschlichtet hatte (der
allerdings Kenntniß des weiblichen Herzens verräth).
Jupiter solle ein geschmücktes Bild auf seinen Wagen
setzen, und es für seine Braut ausgeben. Die schmol=
lende Juno eilte herbei, und als sie eine Braut von
Holz fand, verzieh sie ihren Gemahl, der sonst wohl nie in
solchen Fällen sich mit Holz begnügte. — Den Apoll ver=
ehrten die Böotier alle neun Jahre durch einen feierlichen
Umgang. Da trug der schönste Knabe, mit fliegendem Haar,
auf dem eine goldene Krone ruhte, den Lorbeerzweig, und
vor ihm her sein nächster Verwandter, einen Stab von
Olivenholz, auf dessen Spitze eine Kugel, die Sonne,
darunter eine kleinere, den Mond, umgeben von vielen
noch kleinern, den Sternen, und von dreihundert fünf und
sechzig Kreuzen, den Tagen des Jahrs. —

Als Theseus, von Creta zurückkehrend, die, von Ariad=

nen ihm geschenkte Bildsäule der Venus, zu Delos auf=
stellte, stiftete er ein Fest, alle fünf Jahre zu begehen, mit
Musik und Pferderennen und dem K r a n i ch t a n z, des=
sen mannigfaltige Verschlingungen die Gänge des Laby=
rinthes nachahmen sollten. — Das Fest der Knaben=
Geißelung, Dianen zu Ehren, wurde schon berührt.
Wenn es wahr ist, was man von dessen Ursprung erzählt,
so erscheinen die Spartaner m en sch lich bei dieser grau=
samen Feier. Das Orakel hatte Menschenopfer für Dianen
verordnet; man wollte dies Gebot erfüllen und doch auch
Menschenleben schonen, d a r u m geißelte man die Knaben,
um mit Menschenblut den Altar zu tränken. Die Väter
standen dabei, ja sogar die Mütter, und sprachen den Kin=
dern Muth ein. Dianens Priesterin wachte mit Strenge
darüber, daß keine Schonung, keine Gelindigkeit Statt
finden durfte. Sie trug ein leichtes Bildchen ihrer Göttin
in der Hand, wenn aber die Streiche nicht derb genug fie=
len, so stellte sie sich, als werde plötzlich das Bild so schwer,
daß sie es kaum noch halten könne; und dann verdoppelte
die Geißel.ihre Wuth. So geschah es denn nicht selten, daß
die Knaben ihr Leben verbluteten, wofür sie aber zum Lohn
mit dem Siegeskranz geschmückt und öffentlich begraben,
auch wohl in Bildsäulen aufgestellt wurden. Die empörte
Natur oder die eingerissene Weichlichkeit siegten endlich doch,
und da vormals nur freigeborne Bürgersöhne der Ehre
gegeißelt zu werden theilhaftig wurden, so schob man spä=
ter nach und nach Knaben gemeiner Herkunft, ja Skla=

venſöhne unter. — Zur Erinnerung an ein großes Unglück, wir wiſſen nicht mehr welches, wurde dem Jupiter mit Ernſt und Trauer ein Feſt, Dia ſ i a, gefeiert, mit welchem ein Jahrmarkt verbunden war. Daher ſagt Strepſi a - b e s in den Wolken des Ariſtophanes, daß er ſeinem Söhn- lein an dieſem Feſte einen kleinen Wagen gekauft. — Einſt nahm ein Ochſe ſich die Freiheit, einen dem Jupiter geweih- ten Kuchen zu freſſen. Der ergrimmte Prieſter ſchlug ihn todt. Weil es aber damals für ein Verbrechen galt, einen Ochſen zu töbten, und man doch den Prieſter nicht ſtrafen wollte, ſo verurtheilte man das B e i l, mit dem der Schlag geſchehen, und die Feſtluſtigen Athenienſer ergriffen gern die Gelegenheit, ein Jupiters = Feſt mehr zu ſtiften. —

Ein freundliches Feſt feierten die Megarenſer am Grabe des D i o k l e s, eines zum Halbgott erhobenen Helden, der einſt in der Schlacht den Jüngling, den er liebte, mit ſei- nem Schilde bedeckt, und für ihn ſein Leben gelaſſen hatte. Theocrit beſchreibt in einer ſeiner Idyllen, wie die Jünglinge an des Diokles Gruft um den Preis eines Kuſ- ſes gewetteifert, und wie diejenigen, welche am zärtlichſten zu küſſen wußten, bekränzt zu ihren Müttern heimkehrten. —

Faſt unzählich waren die Feſte des Bacchus, die Dio- nyſien auch Orgien genannt. Wir gebrauchen das letz- tere Wort noch heute für ſchwelgende Verſammlungen. Da- mals bedeutete es die Myſterien der Götter, inſonder- heit des Bacchus, dieſe Myſterien, die unter allen Völ- kern in ſo hoher Achtung ſtanden, und welchen Cicero

einen bewundernswürbigen Einfluß auf die Milderung
roher Sitten zuschreibt. Worin sie eigentlich bestanden, ist
ungewiß, doch darf man, aus den Schriften der Alten, mit
Zuversicht schließen, daß die Lehre von Unsterblichkeit der
Seele, vom Lohn und Strafe nach dem Tode, in denselben
vorgetragen worden. Prächtiger als irgendwo in Grie=
chenland, wurden die Dionysien zu Athen gefeiert. Man
zählte nach ihnen die Jahre. Ihre Priester hatten die ersten
Sitze im Schauspielhause. In mancherlei Verkleidungen,
die Geschichte des Bacchus vorstellend, mit Thyrsusstäben,
Trommeln, Flöten, Klappern, mit Kränzen von Epheu
oder Weinlaub geschmückt, als Silene, Pane, Satyren,
auf Eseln reitend oder Ziegenböcke vor sich hertreibend, zo=
gen die Verehrer des Bacchus, Jünglinge und Mädchen,
auf Hügeln und in öden Thälern umher, tanzten, verdreh=
ten ihre Körper, heulten in die Luft ihr Evoe! Sittsamer
erschienen eine Anzahl junger Mädchen aus den vornehm=
sten Geschlechtern, goldene Körbe voll allerlei Früchte
tragend, und diese Körbe waren das Geheimnißvolle des
Festes. Man pflegte Schlangen hinein zu legen, die, her=
vorschlüpfend, das Volk in Erstaunen setzten. Aber gleich
auf jene holden Kinder folgte wieder eine Schar von Stan=
genträgern, auf deren Spitze der Phallus, dies unan=
ständige Sinnbild prangte, begleitet von Männern in
Weiberkleidern, die sich trunken stellten. Auch der mystische
Sieb des Bacchus durfte nicht fehlen. Alle Arten von
Ausschweifungen, aber auch Spiele, und besonders Schau=

spiele (da die dramatische Dichtkunst vor Allen dem Bac=
chus gewidmet war), beschlossen den Tag, oder vielmehr die
Nacht, denn fast alle Dionysien wurden, aus guten
Gründen, mit dem Schleier der Nacht bedeckt.

Der siebente Tag jedes Monates war dem Apoll hei=
lig. Da wurden ihm Hymnen mit Lorbeerzweigen in den
Händen gesungen. — Der Hekate, der Beschützerin des
Hauses und der Kinder zu Ehren, stellte man nicht allein
Bildsäulen an die Pforten, sondern die Reichen veranstal=
teten auch ein öffentliches Gastmahl, so oft der Neumond
wiederkehrte. Das trugen die Armen heim, und es hieß,
Hekate habe es verzehrt. —

Einst wurden die Phocenser von den Thessaliern zu
solcher Verzweiflung getrieben, daß Einer unter ihnen,
Daiphantus, vorschlug, alle Weiber und Kinder zu
verbrennen, und dann sich in den Feind zu stürzen. Die
Weiber selbst waren so entzückt über diesen Beschluß, daß
sie dem Daiphantus eine Krone überreichten, ja selbst die
Knaben sollen freiwillig bereit gewesen sein, den Scheiter=
haufen zu besteigen. Hierauf fochten die Phocenser mit sol=
cher Wuth, daß sie ihre Freiheit sammt dem Leben der ihri=
gen retteten. Ein Fest und ein Sprichwort (indem man
jede hilflos scheinende Lage hinfort eine phocensische
Verzweiflung nannte) verewigten diese Begebenheit.

Dem Andenken der Helena, deren Tempel neben dem
Grabe des Dichters Alcman stand, stifteten die Spartaner
ein Fest, bei welchem die Jungfrauen, die es besonders

feierten, auf Maulefeln ritten, oder auf Wagen von Schilf
und Rohr geflochten fuhren.

Nach Ueberwindung des perfiſchen Generals Marto-
nius wurde in einer allgemeinen Verſammlung aller Griechen auf den Vorſchlag des Ariſtides beſchloſſen, daß künftig von fünf zu fünf Jahren, die griechiſchen Städte durch
Abgeordnete zu Platäa, in deren Gebiet die Schlacht vor-
gefallen, dem Retter der Freiheit, Jupiter Eleuthe-
rius, Feſte und Spiele feiern ſollten. Die Platäenſer opferten noch beſonders jährlich an den Grabmählern der in jener
Schlacht gefallenen Helden.

Das berühmteſte und geheimnißvollſte Feſt in Griechenland waren die eleuſiniſchen Myſterien, die zu Eleu-
ſis im attiſchen Gebiet alle fünf Jahre begangen, vom Kai-
ſer Hadrian nach Rom verlegt, und unter dem ältern Theo-
doſius noch gefeiert wurden. Das Wort Myſterien, ohne
andern Zuſatz, bedeutet faſt immer dieſe eleuſiniſchen, deren
heilige Gebräuche ſo ſtreng geheim gehalten wurden, daß
der Götter Rache den Entdecker unausbleiblich traf. Niemand hielt ſich für ſicher in der Wohnung eines ſolchen
Frevlers. Ergriffen, war der Tod ihm gewiß. Aeſchylus
kam in Lebensgefahr, weil man in einer ſeiner Tragödien
etwas aus den Myſterien zu finden vermeinte. Ein Unge-
weihter, der ſich dabei einfand, wenn auch aus Irrthum oder
Unwiſſenheit, wurde ermordet. Dies Schickſal traf einſt zwei
Fremdlinge, deren Tod einen Krieg zwiſchen Athen und
dem König Philipp veranlaßte. Alle Griechen, ohne Unter-

schieb des Alters und Geschlechts, durften die Weihe begeh=
ren, und mußten es sogar, wenn sie nicht für gottlos
gelten wollten. Die Gleichgiltigkeit dagegen war eine von den
Anklagen, welche den Tod des Sokrates nach sich zog. Nur
Fremdlinge, Mörder und Zauberer blieben ausgeschlossen.
Man theilte die Mysterien in große und kleine. Die letz=
tern waren eine Art von Reinigung oder Vorbereitung zu
den erstern, deren Weihe man erst ein Jahr nachher empfing.
Dann hießen die Geweihten Epopten. Sie wurden, mit
Mirten bekränzt, bei Nacht in den mystischen Tempel ge=
führt (ein ungeheuer großes Gebäude), wo sie sich wuschen
und die Mysterien aus einem Buche vorlesen hörten. Zu=
gleich erblickten sie seltsame Gaukeleien. Bald drehte sich der
Boden unter ihren Füßen, bald zischten die Blitze und der
Donner rollte, bald stiegen gräßliche Gestalten aus dem
Abgrund herauf. Wurden die Epopten endlich entlassen,
so trugen sie die heiligen Kleider, in welchen sie geweiht
worden, bis sie ganz zerrissen waren, und auch dann noch
machten sie Windeln für ihre Kinder daraus, oder heiligten sie
der Ceres. — Die Hauptperson bei dieser Feierlichkeit war der
Hierophant, ein keuscher, unbeweibter Bürger. Ihm
zur Seite standen der Fackelträger, der sogenannte Kö=
nig und noch andere Gehilfen. Neun Tage währte das
Fest; und so lange wurde keine Bittschrift überreicht, Nie=
mand gefänglich eingezogen. Tausend Drachmen war die
Strafe für ein Frauenzimmer, welches in einem Wagen
durch Eleusis fuhr. Verschiedene Prunk = Aufzüge folgten

sich an den verschiedenen Tagen. Bald war es der heilige Korb der Ceres, von Korbträgerinnen umgeben, die Wolle, Salz, Granatäpfel, Schlangen u. s. w. trugen, wobei das Volk Heil dir, Ceres! jauchzte: bald war es Jachus, der Sohn des Jupiter und der Ceres, den man im Triumphe nach Eleusis führte; bald rannten Männer und Weiber mit brennenden Fackeln in der Nacht umher, bald wurden Spiele angestellt, deren Preis in einem Maß Gerste bestand, weil dieses Getreide hier zuerst gesäet worden. Am neunten Tage endlich stieß man irdene, mit Wein gefüllte Gefäße um, und mit diesem Trankopfer wurde das Fest beschlossen.

Mit öffentlichen Spielen und Wettkämpfen unter Tonkünstlern feierten die Thespienser alle fünf Jahre den Cupido, dessen herrliche Bildsäule, vom Praxiteles verfertigt, sie besaßen. Ehelicher Zwist wurde hier dem Gott vorgetragen, und durch Opfer ihm dargebracht, Versöhnung bewirkt.

In Creta wurden an einem Feste, welches die Römer unter dem Namen der Saturnalien entlehnten, die Knechte von ihren Herren gespeist und bedient. — Nur freigeborne, tugendhafte, unbescholtene Bürger durften das Fest der Furien feiern; nur Männer und Mädchen das der Diana von Ephesus; nur Knaben das des Merkur. — Zu Argos wurde der Juno eine Hekatombe von Stieren geopfert, und die Priesterin, stets eine vornehme Matrone, fuhr an diesem Tage auf einem von weißen Stieren gezogenen

172

Wagen, und in Wettspielen trug derjenige den Preis davon, der ein am Theater stark befestigtes Schild herabreißen konnte. Ein ähnliches Fest feierte man zu Elis alle fünf Jahre, wobei sechzehn Matronen für die Göttin ein Gewand webten, und Kampfrichterinnen waren. Jungfrauen stellten hier einen Wettlauf an, Alle gleich gekleidet, mit fliegendem Haar, die rechte Schulter bis an die Brust entblößt, die Röcke nur bis auf die Knie reichend. Die Siegerin empfing den Olivenkranz und durfte ihr Bild der Göttin weihen.

Ein Trauertag wurde zu Corinth begangen, um die Kinder der Medea. Oft mögen die Leserinnen, bei Ermordung dieser Kinder von Mutterhand vor der Bühne geschaudert haben, und werden sich nun freuen zu vernehmen, daß nicht Medea, sondern die Corinther dieses Blut vergossen. Um aber die Schmach von sich abzuwenden, bestachen sie den Euripides, eine Fabel zu erfinden, an die zuvor Niemand gedacht.

Am Feste Vulkans mußten drei Jünglinge einen Wettlauf mit einer brennenden Fackel anstellen; wer diese brennend zum Ziele brachte, trug den Preis davon. Verlosch sie früher, so übergab der Erste sie dem Zweiten, und trat zurück. (Die Russen haben noch jetzt ein ähnliches Spiel, wobei ein glimmendes Hölzchen aus einer Hand in die andere geht.) Wenn einer der Jünglinge seinen Lauf verzögerte, um durch die hastige Bewegung die Fackel nicht auszulöschen, da schlugen ihn die Zuschauer scherzend mit der

168

flachen Hand, und solche Erinnerungen nannte man b r e i t e
S ch l ä g e. — Am Fest der S o n n e und der H o r e n,
wobei man die Erstlinge der Früchte in Töpfen umher
trug, wurde die Stadt durch ein Opfer gereinigt, die Athe=
nienser ließen ihre adoptirten Söhne in das große Buch
schreiben, und Niemand durfte an diesem Tage Bürgschaft
leisten oder annehmen.

Die T h e s m o f o r i e n, ein Fest der Ceres, feierte
ganz Griechenland mit verschiedenen Gebräuchen, unter
welchen der der Syrakuser am seltsamsten war, da sie, was
die weibliche Schamhaftigkeit am verborgensten hält, aus
Safran und Honig nachgebildet, öffentlich umher trugen.
Zu Athen durften nur freigeborne Frauen die Ceres an die=
sem Tage verehren, und ihnen waren Jungfrauen zuge=
ordnet, die man in einer Art von klösterlichem Zwange er=
zog. Schon mehrere Tage vor dem Feste bestreuten die
Frauen ihre Betten mit blutkühlenden Kräutern, um die
Sinnlichkeit zu verbannen und beim Opfer die weißen
Kleider, das Zeichen der Unbeflecktheit, würdig tragen zu
können. Mit Büchern auf den Häuptern, zum Andenken
der von der Ceres erfundenen Gesetze, wallfahrteten sie nach
Eleusis, fasteten und brachten ein geheimnißvolles Opfer,
von dem die Männer ausgeschlossen waren. Wer um ge=
ringer Vergehungen willen im Kerker saß, wurde an die=
sem Feste befreit. — Bei den L e s b i e r n stritten an einem
feierlichen Tage die schönsten Weiber um den Preis der
Schönheit. Leider wird nicht mehr gefunden, worin die=

fer Preis bestanden, und wer die Richter gewesen, und ob
der Gebrauch, der sonder Zweifel manches Unheil gestiftet,
sich lange erhalten. Bei den Eleern fand ein ähnlicher
Wettstreit unter den schönsten Männern Statt. — Gezie=
mender mochte ihnen der musikalische Wettkampf bei den
sogenannten Karneen, einem neuntägigen Feste sein,
welches einst zu Abwendung einer Pest angeordnet wurde.
Hier trug Terpander den ersten Preis davon, und Timo=
theus, der berühmte milesische Tonkünstler, mußte schmäh=
lich den Kampfplatz verlassen, denn einer der spartanischen
Ephoren trat mit einem Messer zu ihm, und legte ihm die
seltsame Frage vor: welche von den Saiten seiner Leier man
entzwei schneiden solle? weil deren mehr als sieben waren.
— Ein nächtliches Fest wurde der Cotys oder Cotytto,
der Göttin der Unzucht, mit solchen Feierlichkeiten
begangen, die ihr am angenehmsten waren, und folglich
nicht zu beschreiben sind. Liederliche Menschen pflegte man
deshalb Diener der Cotys zu nennen. — Das Satur=
nusfest zu Rhodus befleckte ein Menschenopfer, doch
war es nur ein zum Tode verurtheilter Missethäter.

Ein freundlicheres Fest beging man zu Sparta, wo die
ganze Stadt in eine große Familie zusammen schmolz, wo
Frauen und Jungfrauen, Kinder und Knechte Alle an
einer Tafel speisten.

Minerva, die Schutzgöttin Athen's, wurde, außer
mehreren Festen, durch die kleinen und großen Panathe=
näen verherrlicht, die erstern alle drei, die letztern alle fünf

Jahre gefeiert. Da gab es Wettrennen mit Fackeln, Rin=
geltänze und Preisbewerbungen in Gesängen und Schau=
spielen. Der Preis war ein Olivenkranz und ein Gefäß
mit Oel, das der Sieger nach Gefallen auch aus dem Lande
schicken konnte, welches sonst nie erlaubt war. Die Jung=
frauen webten dann den Mantel der Minerva, von weißer
Farbe mit Gold gestickt, und konnten sich kunstreich bewei=
sen, denn die großen Thaten der Göttin und der Heroen
waren auf diesem Mantel abgebildet. Darum pflegte man
auch von tapfern Männern zu sagen: »sie sind würdig, auf
dem Mantel der Minerva zu prangen.« Die Art, wie der
Peplus (so hieß der Mantel) nach langem Hin= und Her=
führen bis zu der Göttin gelangte, war eine seltsame Erfin=
dung; man hing ihn nämlich, gleich einem Segel, an ein
künstliches Schiff, das aber auf festem Grund und Bo=
den, entweder von Thieren gezogen oder durch Maschinen
fortbewegt wurde, umringt von Männern und Frauen,
welche Oelzweige, Töpfe, Körbe, Schirme, Stühle tru=
gen, Hymnen sangen u. s. w. Verdienstvolle Männer wur=
den an diesem Tage mit goldenen Kronen beschenkt, Gefan=
gene frei gelassen, und Homer's Gedichte abgesungen. Auch
betete man für die Wohlfahrt der Platäenser zum An=
denken ihrer Tapferkeit in der Schlacht bei Marathon. —
Der Tag der Minerven=Wäsche — denn ihre Bild=
säule wurde an diesem Tage entkleidet und gewaschen, —
wurde für einen unglücklichen Tag gehalten, und es schien
ein böses Zeichen, daß Alcibiades gerade an demselben zu=

rück kam. Allein der junge Held kehrte sich nicht daran,
und Alles ging gut. — Die Thebaner feierten ein Fest dem
grauen Apoll, denn diese Sonderlinge hatten ihn (war=
um? ist unbekannt) mit grauen Haaren abgebildet. — In
Arkadien gab es ein Bacchusfest, an dem die Frauen, wie
zu Sparta die Knaben, gegeißelt wurden. —

In Athen machten sie an einem gewissen feierlichen
Tage Satyren auf einander, die wohl bisweilen mehr
geschmerzt haben mögen als jene Geißelhiebe.

In Jonien opferte man jährlich der erzürnten Diana
einen Knaben und ein Mädchen, weil eine ihrer Priesterin=
nen durch Wollust den Tempel entweiht hatte, und dieses
grausame Opfer währte bis nach dem trojanischen Kriege.

Zu Argos wechselten an einem Feste der Venus und
Luna Männer und Weiber ihre Kleider, zum Andenken
der Heldin Telesilla, die, bei einer Belagerung, an der
Spitze eines weiblichen Heeres, die Stadt gegen die Spar=
taner vertheidigte. Eben daselbst opferte man der Venus
eine Sau! — Die Delphier begingen ein Fest, Königen
zur Lehre gestiftet. Eine Hungersnoth trieb einst die Del=
phier vor den Palast ihres Königs, wo er Mehl und Hül=
senfrüchte, doch nur unter die ihm Bekannten vertheilte,
und ein armes, kleines, verwaistes Mädchen, das ihn rüh=
rend um Speise bat, anfangs rauh zurück wies, und end=
lich gar mit seinem Schuhe schlug. Da entfernte sich das
Kind, löste seinen Gürtel und erhing sich daran. Hunger
und Pest waren die Folge, und, auf Befragen des Orakels,

erklärte Pythia, man müsse die Manen der kleinen Charila
versöhnen. So entstand das Fest, an welchem der König,
nach Austheilung von Früchten, ein Bild der Charila mit
dem Schuhe schlug, es erhängen und begraben ließ. —

Das Fest der Grazien wurde mit nächtlichen Tänzen
gefeiert. Wer dabei am längsten wach blieb, empfing einen
Kuchen zur Belohnung. — Ein Frühlingsfest begingen die
Knaben fröhlich zu Rhodus, indem sie von Haus zu Haus
ein noch vorhandenes Lied sangen, und für eine Schwalbe
bettelten. Er hub also an: »Sie ist da, sie ist da, die Schwalbe,
und bringt uns schönes Wetter und frohe Stunden.«

Bei weitem der kleinste Theil der griechischen Feste
wurde hier genannt, doch mehr als genug, um einen Be-
griff von diesen oft erhabenen, oft lächerlichen Feierlichkeiten zu geben. Manche sind von allen Griechen, manche
von einzelnen Städten, oder auch nur von Familien gefeiert
worden. Ihre Zahl mehrte sich mit der Zahl der Götter,
und da es deren so viele tausende gab, so läßt sich schließen,
daß fast kein Tag verging, an dem die Griechen nicht Gelegenheit hatten, zu beten, zu faullenzen, zu schwelgen und
ihre Schaulust zu befriedigen. Ja, es genügte ihnen nicht
einmal an Verehrung der Götter, auch Sterbliche hatten
ihre Altäre, Tempel und Feste, gewöhnlich aus bessern
Gründen, als die Götter selbst. So zum Beispiel der
tapfere Ajar, auf der Insel Salamis; Alcathous zu
Megara, weil er einen das Land verwüstenden Löwen
bekämpfte; Ischenus zu Olympia, weil er sein Vater-

XVI.   12

land durch eigne Aufopferung von einer Hungersnoth ret=
tete; Leonidas zu Sparta, weil er den Opfertod bei
Thermopylä starb; ja selbst den Dichter Linus verehrte
man jährlich auf dem Berge Helikon, ehe man den Musen
opferte. Es scheint aus alle dem, daß ein frommer Grieche
durchaus kein anderes Geschäft treiben konnte, als seine
Frömmigkeit.

_____

3. Die öffentlichen Spiele der Griechen.

Es ist schon bemerkt, wie viele Feste der Griechen mit
Spielen verbunden oder beschlossen worden: allein es gab
noch vier große, besonders heilige Spiele, zu welchen
ganz Griechenland hinströmte aus Frömmigkeit und Schau=
lust. Sie hatten überdies noch andere, löbliche Zwecke; sie
waren ein stets erneuertes Band zwischen den verschiedenen
Völkerschaften, und gaben den Kräften des Körpers wie
des Geistes Gelegenheit zur Auszeichnung. Die entflammte,
und in solchen Versammlungen befriedigte Ehrbegier wurde
die Mutter so vieler Meisterwerke, die wir noch jetzt
bewundern.

Die olympischen, pythischen, isthmischen
und nemeischen waren die vier heiligen Spiele. Die
Sieger in diesen wurden fast angebetet. Auf Triumphwa=
gen kehrten sie zurück, und die Vaterstadt riß ihre Mauern
nieder, zum bequemern Einzug der Gefeierten. Sie empfin=
gen Geschenke, saßen auf den ersten Plätzen im Schauspiel,
wurden auf öffentliche Kosten unterhalten. In Sparta stan=

den sie zunächst bei dem König, und ein angesehener Posten im Heere gebührte ihnen. Wer vollends mehr als einmal den Preis errang, der hatte die höchste Stufe des mensch= lichen Glücks erklimmt, und wer in allen Wettkämpfen Sieger blieb, der wurde für keinen Sterblichen mehr geach= tet. Ihr Glanz bestrahlte Alles, was ihnen angehörte: sie erhöhten den Ruhm ihrer Vaterstadt, das Glück ihrer Ver= wandten, und beseligten ihre Eltern. Diagoras, der Sieger in den olympischen Spielen, hatte auch seine Söhne und Enkel als Sieger umarmt; da sprach ein Lacedämonier zu ihm: »Stirb nun, Diagoras! willst du ein Gott werden?«

Nach gesprochenem Urtheil der Kampfrichter rief der Herold die Namen des Siegers, seines Vaters und seiner Vaterstadt aus. Es geschah bisweilen, daß der Held einen andern Geburtsort nannte, entweder aus Vorliebe für eine fremde Stadt, wo ihm Gutes wiederfahren, oder aus Haß gegen die Vaterstadt, die ihn beleidigt hatte. Dann aber rächte sich diese für den entzogenen Ruhm, verbannte den undankbaren Bürger, verwandelte sein Haus in ein Ge= fängniß, und rieß seine Bildsäulen nieder. — Das Sieges= zeichen war gewöhnlich ein Palmzweig.

Das Springen, Laufen, die Wurfscheibe, das Spießwerfen und das Ringen waren die gewöhn= lichen Uebungen in den heiligen Spielen. Schon Homer nennt die Schnelligkeit im Laufen einen der größten Vor= züge des Mannes. »Keinen größern Ruhm,« sagt er in

12 *

der Odyssee, »hat ein Mann in seinem Leben, als wenn er
stark an Händen und Füßen ist.« Darum nennt er auch
den Achill stets den schnellfüßigen, und allerdings
beweisen die unwiderstehlichsten Krieger unserer Zeit, wie
oft die Schnelligkeit den Sieg verleiht. Die eigentliche Renn=
bahn (Stadium) war nicht länger als hundert fünfund=
zwanzig Schritte, wurde aber bald mehr, bald weniger
vergrößert. — Die Springer wurden mit Gewichten be=
lastet, und übten sich bergauf, bergab. — Die Wurf=
scheibe, Diskus, war sehr schwer, und wurde hoch in
die Luft oder auch nach einem Ziele geworfen. Der unge=
heuer lange Wurfspieß diente zu gleichem Zwecke.

Der Faustkampf war das grausamste Schauspiel.
Die Kämpfer trugen lederne Riemen, oft mit Blei gefüllt,
um die Arme. Sie suchten dem Gegner einen Schlag auf
Kopf und Brust, besonders in das Antlitz beizubringen.
Sie sprangen um einander herum, wichen aus und zurück,
standen wieder, fielen, rafften sich auf, kämpften auf's neue,
ruhten aus um Kräfte zu sammeln, erneuerten den Kampf,
bis einer von beiden todt niedersank, oder völlig entkräftet
und schrecklich zugerichtet, für überwunden sich beken=
nen mußte.

Die Ringer machten ihre Glieder durch warmes Oel
geschmeidig und glatt. Wer seinen Gegner dreimal nieder=
warf, blieb Sieger. Bisweilen gebrauchten sie nur die Hände,
und zerbrachen sich dabei die Finger. Oft siegte auch der
Schwächere, indem er sich freiwillig niederwarf und liegend

seinen Gegner so lange kniff, biß und kratzte, bis er ihn überwand. Das Bekenntniß des Besiegten geschah durch Worte, oder durch Aufhebung eines Fingers.

Das Pferde-Rennen wurde durch Reiter oder durch Wagenlenker vollbracht. Die Kunst der letztern bestand vorzüglich darinnen, das Ziel nicht zu berühren; denn Umwerfen und Spott waren die unvermeidlichen Folgen einer solchen Berührung. — Die schönsten Wett=streite sonder Zweifel begannen die Dichter und Tonkünst=ler. Hier kämpfte Euripides mit dem Xenokles um den Preis; hier las Herodot neun Bücher seiner Geschichte vor; hier hielt Gorgias Leontinus Reden aus dem Stegreif über jeden ihm gegebenen Stoff.

Die olympischen Spiele wurden stets im fünften Jahre gefeiert und währten fünf Tage. Man gibt ihnen ein sehr hohes Alterthum, doch können sie wohl kaum zu den Zeiten des trojanischen Krieges vorhanden gewesen sein, weil sonst Homer wohl irgendwo ihrer erwähnt haben würde. Iphitus, ein Zeitgenosse des Lykurg, frischte sie, vierhundert Jahre nach Zerstörung Troja's, wieder auf. Nach ihnen benannte man die Olympiaden, Zeiträume von mehr als vier und weniger als fünf Jahren, nach wel=chen die Griechen zu rechnen pflegten. Die Eleer hatten die Aufsicht über diese Spiele, und trugen in ihre Annalen sowohl die Olympiaden als die Namen der Sieger ein. Der Aufseher waren zehn, die sich zehn Monat vor Begehung der Spiele auf dem Forum zu Elis täglich versammelten,

ten Vorübungen der Preisbewerber beiwohnten, in ben
Kampfgesetzen sie unterrichteten und eiblich angelobten, ihr
Urtheil nicht bestechen zu lassen. Während der Spiele selbst
lag der Siegeskranz vor ihnen, den sie, trotz des Eides,
doch nicht immer unpartheiisch ertheilten. Aber in solchen
Fällen war es erlaubt, an den olympischen Senat zu ap=
pelliren, und man wußte Beispiele, wo die Kampfrichter
mit einer Geldbuße belegt worden. — Die Priesterinnen
der Ceres ausgenommen, durfte kein Frauenzimmer diesen
Spielen beiwohnen, vielleicht weil alle Kämpfer nackend
waren, obwohl dies kein Grund gewesen wäre, die Spar=
tanerinnen abzuweisen. Man hielt so streng über dieses Ge=
setz, daß, wenn auch nur ein Frauenzimmer wagte, über
den Fluß Alpheus zu gehen, man ohne Erbarmen sie vom
Felsen herabstürzte. Pherenice wagte es dennoch, ihren
Sohn bis zum Kampfplatz zu begleiten. Sie wurde erkannt
und vor die Richter gestellt. Es war um sie geschehen, hätte sie
nicht Vater, Bruder und Sohn unter den olympischen Sie=
gern gezählt. Diese außerordentliche Ehre entwaffnete die
Strenge des Gesetzes. Später mag es ohnehin sein aufge=
hoben worden, denn es werden Beispiele von Frauenzim=
mern erzählt, die mit Amazonen=Muth in den olympischen
Spielen gekämpft und obgesiegt haben.

Wer nicht zu den erwähnten Vorübungen zu rechter
Zeit sich eingefunden hatte, der konnte nicht als Preisbe=
werber auftreten, und schlich er sich dennoch bei den Spielen
ein, so brachte selbst der Sieg ihm keinen Lohn. Die ge=

rechteſte Entſchuldigung der verzögerten Ankunft ward ver=
worfen, und ein gewiſſer Apollonius mußte deshalb
zurücktreten, obſchon er beweiſen konnte, daß widrige Winde
auf den cyklabiſchen Inſeln ihn aufgehalten.

Kein Verbrecher, auch kein Verwandter eines Ver=
brechers wurde zugelaſſen. Die Kämpfer, ja ſelbſt ihre
Väter und Brüder, mußten einen feierlichen Eid ablegen,
daß alle Kampfbedingungen treulich erfüllt, und kein un=
erlaubtes Mittel zu Erringung des Sieges angewandt
worden.

Kugeln, mit Buchſtaben bezeichnet, wurden aus ſil=
bernen Urnen gezogen. Die, welchen gleiche Buchſtaben
zufielen, kämpften mit einander. Der Sieger des erſten
Paares mußte auch den Sieger des zweiten, dritten, vierten
überwinden, oder, wenn er unterlag, ſo kämpfte ſein Ueber=
winder mit den folgenden. — Unter allen Preisbewerbern
der olympiſchen Spiele that Alcibiades an Glück und Pracht
am meiſten ſich hervor. Kein Grieche, und kein König der
Griechen, hatte jemals, wie er, ſieben Wagen dazu ge=
ſandt. Der erſte, zweite und vierte Preis wurden ihm zu
Theil.

Die Zweige des Olivenkranzes, woraus allein der Preis
beſtand, wurden von heiligen Bäumen geſchnitten, die
Herkules gepflanzt hatte, und von welchen nie einen an=
dern Gebrauch zu machen bei ſchwerer Strafe geboten war.

Die pythiſchen Spiele, vom Apollo ſelbſt geſtiftet,
wurden unweit Delphi, anfangs alle neun, dann alle fünf

Jahre gefeiert. Der Preis bestand in heiligen Aepfeln und
Lorbeerkränzen. Die Dichtkunst wetteiferte hier mit der Ton=
kunst. Hesiod wurde abgewiesen, weil er die Cither nicht
spielen konnte. Orpheus und Musäus hielten es unter
ihrer Würde, sich in einen Wettstreit einzulassen. Auch fei=
erliche Tänze waren üblich, und sowohl diese als die Ge=
sänge hatten den Sieg Apoll's über den Python zum Ge=
genstande. Für die Schaulustigen wurden Kämpfe, gleich
den olympischen, veranstaltet, doch nur Knaben durften als
Kämpfer auftreten. Den strengen Vorübungen wohnten
die Amphictyonen bei.

Die nemeischen Spiele, von einem Dorfe und Haine
also genannt, beging man in jedem dritten Jahre. Das
Wagen=Rennen war hier der vornehmste Kampf. Die
Richter, welche in schwarzen Kleidern den Vorsitz führten,
waren so gewissenhaft, daß sie dem Lebenden die Krone
wieder entrissen und dem Verstorbenen sie zusprachen, wenn
ein spät entdeckter Betrug sie dazu berechtigte. Der Sieger
wurde mit Eppich bekränzt.

Die isthmischen Spiele, auf dem schmalen Land=
strich bei Corinth gefeiert, wurden von allen Griechen,
nur von den Eleern nicht besucht, weil ihnen einst, von den
Archivern und Corinthern Genugthuung für einen Mord
versagt worden, den Herkules an einigen ihrer Jünglinge
begangen, welche friedlich zu den isthmischen Spielen zo=
gen. Im dritten oder fünften Jahre wurden diese auf ähn=
liche Weise, wie die olympischen begangen, und das Unge=

heuer Nero trug einst hier den Sieg davon. Ein Kranz von Fichtenzweigen war der Preis.

Diese Spiele wurden einst durch eine große, für jede Feder, jeden Pinsel zu erhabene Scene unterbrochen. Etwa zweihundert Jahr vor Christi Geburt, als der römische Konsul Flaminius den macedonischen König Philipp überwunden hatte, erschien er auf dem Isthmus, und ließ durch einen Herold dem versammelten Volke, im Namen des römischen Senats, die alte Freiheit verkünden. Ein tiefes Schweigen folgte. Keiner traute seinen Ohren. Jeder sah den Nachbar mit Erstaunen an, als wolle er fragen: hab' ich recht gehört? — doch als der Herold die freudige Botschaft laut wiederholte, da brachen die Griechen in ein Jubelgeschrei und Händeklatschen aus, und achteten nicht mehr der Spiele und waren Freudetrunken. Etwas ähnliches that auch Nero, doch es war beidemal nur Gaukelei; man schmeichelte den Griechen mit einem Worte, so wie manchem Fürsten heutzutage mit dem Worte Souverainität.

4. Das Kriegswesen der Griechen.

Die Leserinnen sind in unsern Zeiten mit den Vorstellungen von Krieg und Schlachten so vertraut geworden, daß sie vor diesem Gegenstande aus der alten griechischen Welt um so weniger zurückbeben werden. Um keine Lücke in dem Ganzen zu lassen, war es nothwendig, auch hievon zu sprechen, allein die Kürze werde hier ein doppelt strenges Gesetz. — Länder-Raub war den ältesten Griechen unbekannt. Ihre Zwistigkeiten entstanden gewöhnlich über eine weggetriebene Herde, oder einen beschädigten Acker. Darum sprach Achilles zum Agamemnon: er folge ihnen blos, um die Ehre des Menelaus zu retten, und sei den Trojanern nicht gehässig, da sie weder Pferde noch Rinder ihm weggetrieben, noch seine Feldfrüchte jemals verletzt hätten. Aber dieser Naturzustand konnte in einem Lande, das in so viele kleine, unabhängige Staaten zerstückelt war, nicht lange bestehen. Jeder dieser Staaten suchte sein Gebiet zu vergrößern, und so wurde nach und nach die Gewalt zum Rechte, der Krieg zur Kunst, der Muth ein angebornes Erbe, die Gleichgiltigkeit gegen Leben und Tod eine erworbene Eigenschaft, vor allen der Spartaner, von welchen Plutarch den Vers anführt: »Sie hielten weder Leben noch Tod an sich für etwas Gutes, sondern nur das rühmliche Ende." Erziehung, Gesetz und Uebung erhoben die Spartaner zu den ersten Kriegern, nach deren Beistand der jüngere Cyrus, der lydische Crösus trachtete, denen die Sicilianer, Thracier, Carthaginienser u. s. w. ihre Freiheit verdankten. Noch ruht ihr Geist auf den Mainotten, ihren Nachkömmlingen, die, an Zahl gering, an Tapferkeit ihren Vätern gleich, auf der Halbinsel Morea ihre Freiheit gegen die Türken behaupten.

Der Ueberlegenheit bewußt, forderten und erhielten die Lacedämonier in allen Kriegen den Oberbefehl, wo mehrere Verbündete ihre Truppen lieferten. Gelon, der König von Sicilien, versprach einst mit zahlreichen Völkern gegen

die Barbaren sie zu unterstützen, wenn sie i h n zum Feld=
herrn über das griechische Heer ernennen wollten; aber
sein Antrag wurde verworfen. Nicht einmal unter Alexan=
der's Fahnen wollten sie gegen die Perser fechten, obgleich
schon alle Griechen diesem gräßlichen Helden folgten. —
Was Sparta zu Lande war, das Athen zur See. Ein Athe=
niensischer Admiral führte den Oberbefehl über die ganze
griechische Seemacht.

Jeder Bürger von gewissem Alter war verpflichtet die
Waffen zu tragen, wenn er dazu aufgefordert wurde. Greise,
Sklaven, Fremde, dienten nur in großer Gefahr. Jeder
zog in den Krieg auf eigene Kosten und in der Hoffnung,
Beute zu gewinnen. Um Sold zu dienen war schimpflich,
noch schimpflicher dem Kriegsdienst auszuweichen, Verlust
des Stimmrechts die Folge, und alle Tempel blieben
dem Widerspenstigen verschlossen. Den Geworbenen brannte
man ein Zeichen in die Hand.

Die Carier waren die Ersten, die allgemeinen Haß
und Verachtung gegen sich erweckten durch Dienst um
Sold, obgleich später alle Griechen ihrem Beispiele folg=
ten, wozu Pericles in Athen den Anfang machte. Immer
stellt der Mensch sich nur, als ob er das verachte, was
unrühmlichen Gewinn bringt, doch begierig ergreift er den
ersten scheinbaren Vorwand, um nachzuthun, was er vor
Kurzem noch verdammte. Die Kosten des Unterhalts wur=
den vom Solde abgezogen; wenn folglich das Getreide
theuer war, so befanden die griechischen Soldaten sich in

keiner beffern Lage, als die heutigen. Doch wurde bisweilen in solchen Fällen der Sold erhöht. Ihn lieferte der öffentliche Schatz und eine allgemeine Auflage, zu der die Reichen oft freiwillig größere Beiträge steuerten. Der trojanische Krieg war der Erste, in dem ganz Griechenland gegen einen auswärtigen Feind sich verband.

Schwergerüstetes Fußvolk trug breite Schilde und lange Spieße, das leichtbewaffnete, Bogen, Wurfspieße, Schleudern. Hatten die Letztern ihre Pfeile abgedrückt, so verbargen sie sich hinter den Schildern der Erstern, wie Teucer, beim Homer, hinter Ajax glänzendem Schilde. Die Reiterei war minder zahlreich, denn der Pferdezucht war das Land ungünstig. Da nur die Reichen zu Rosse dienten und diesen kostbaren Dienst bestreiten konnten, so stand er auch in höherm Ansehen als der zu Fuß, bis unter den Reichen die bequeme Gewohnheit entstand, einen gerüsteten Reiter zu unterhalten, der die Gefahr, welche sie scheuten, für Geld übernahm.

Von Sattel und Steigbügel liefert kein altes Denkmal eine Spur, selbst der Zaum blieb lange unbekannt. Doch schon das Roß des Aeneas bedeckt Virgil mit einer Löwenhaut. Die Pferde wurden abgerichtet die Knie zu beugen, um den Reiter den Sprung auf deren Rücken zu erleichtern. Manche Reiter stützten sich dabei auf einen Spieß, oder machten den Rücken eines Sklaven zur Stufe. Auch wurden auf den Landstraßen Steine zu diesem Behuf errichtet.

Viele der alten Helden zogen auf Wagen, mit zwei
oder drei Rossen bespannt, in's Feld, und oft waren diese
Wagen mit Gold und Silber künstlich ausgelegt, mit kost=
baren Decken behangen. Es ist merkwürdig, daß die Russen
noch jetzt das dritte Pferd so anzuspannen pflegen, wie
die Griechen in den ältesten Zeiten. Auch das Vierge-
spann war schon zu Homer's Zeiten üblich. — Auf jedem
Wagen befanden sich zwei Männer, der Eine lenkte die
Zügel, ein Dienst, nichts weniger als knechtisch, dem Nestor, Hektor und andere Helden sich unterzogen; der Andere
focht an seiner Seite oder hinter ihm. Die Sichelwagen,
deren Zweck und Bau schon aus der Benennung sich er=
klärt, mähten oft ganze Reihen. Doch als die Kriegskunst
sich vervollkommte, wurden alle Wagen verbannt, und
man kämpfte blos zu Pferde. Die besten Reiter waren die
Thessalier. Alexander der Große führte zuerst eine Art von
Dragonern ein, die zu Pferde wie zu Fuße dienten. Schwer
gerüstet, Mann und Roß mit Eisen bedeckt, war eine andere Gattung der Reiterei, die den Rittern des Mittelal=
ters glich.

Vor Alexander's Zeiten wußte man nichts von Kamee-
len oder Elephanten. Damals brachte man die letztern aus
dem Morgenlande; sie trugen Thürme, welche zehn bis
dreißig Soldaten faßten, die, selbst geschützt, durch Pfeile
und Wurfspieße den Tod um sich her verbreiteten. Auch
kämpften die Elephanten selber muthig, ihre Füße und
Rüssel zertraten und zerquetschen die Feinde. Als die Grie-

chen sie zum ersten Male sahen — es waren deren fünfund=
achtzig unter dem Heere des Porus — da gestand selbst
Alexander, es wandle Furcht ihm an. Doch sie lernten bald
auch diese Colosse nicht zu scheuen, sie hieben ihnen die
Rüssel ab, verwundeten sie in den Füßen, erschreckten sie
durch ungewohnte Töne, und bewirkten dadurch nicht sel=
ten, daß sie wüthend Verwirrung und Tod unter ihr eige=
nes Heer trugen. Darum entsagte man bald diesen Kriegs=
gefährten.

Die Waffen der ältesten Helden waren von Erz oder
Kupfer, bis sie denen von Eisen wichen. Zinn diente zu
Bein= und Brustharnischen, Gold und Silber nur zum
Schmuck. Wer von einem dieser edlen Metalle die g a n z e
Rüstung verfertigen ließ, galt für einen verzärtelten Krie=
ger, und Homer verglich den Amphimachus, der mit
goldenen Waffen in den Krieg zog, mit einem geputzten
Mädchen. Doch den Schmuck, als Nebensache, verschmäh=
ten die Helden nicht, das beweist der berühmte Schild
Achill's, kunstreich vom Vulkan gearbeitet, der eine so große
Menge von Darstellungen enthielt, daß Manche sogar
behauptet haben, nur ein Marktplatz könne sie Alle fassen.
Da sah man eine Vermählungsfeier, ein gerichtliches Ver=
hör, eine belagerte Stadt, Herden zur Tränke geführt,
pflügende Ackersleute, eine Schnitter=Mahlzeit unter der
Eiche, eine Weinlese, raubende Löwen, Schafe in Hürden,
ländliche Tänze, und endlich den Ocean, dessen Wellen
um den Rand des Schildes schlugen. Ein französischer

Gelehrter hat diesen Schild in Kupfer stechen lassen, um zu beweisen, daß es der Kunst gelungen, alle diese verschiedenen Gegenstände in einen Raum zu bannen.

Ehe Herkules und Theseus und diesen ähnliche Helden das Land von zahlreichen Räubern befreiten, ließ kein Grieche sich unbewaffnet außer den Thoren sehen. Der Helm, von Metall oder Leder, bedeckte das Haupt. War er aus der Haut eines Thieres verfertigt, so blieb diese behaart, auch sah man wohl noch die Zähne des Thieres, die den Feind anzufletschen schienen. Das Antlitz des Helden blieb stets unbedeckt. Mit Riemen war der Helm unter dem Hals befestigt, daher die Worte Homer's, als der ergrimmte Agamemnon den Paris ergreift: »Es würgte ihn der gestickte Riemen, der unter dem Kinn den Helm zusammen zog.« Ein Haupttheil desselben war der Busch, aus Federn, Haaren, Roßschweifen oder Mähnen, auch wohl aus Gold verfertigt. Je höher und prächtiger dieser Busch, je ausgezeichneter der, welcher ihn trug. Eitle Helden pflegten auch wohl mit zwei und drei solchen Büschen zu prangen; König Pyrrhus trug sogar Bockshörner auf dem Helme, Alles, um den Feinden Schrecken einzuflößen.

Aus demselben Grunde warfen auch die alten Helden so gern die Häute von wilden Thieren um ihre Schultern. Des Herkules Löwenhaut ist bekannt. Die Homerischen Helden traten oft so auf. Doch verschmähten sie auch eine mehr Sicherheit gewährende Rüstung nicht. Dicht am

Körper, noch unter dem Panzer, lag ein Blatt von Erz,
mit Wolle gefüttert. Der Pfeil, der, beim Homer, durch
des Menelaus ganze Rüstung drang, verlor seine Kraft,
dies Blatt durchbohrend, und ritzte nur noch die Haut.
Der Gurt von Eisen reichte von den Knien bis um den
Unterleib hinauf, wo er an den Panzer stieß. Dieser Gurt
schien so unentbehrlich, daß man oft die Rüstung über=
haupt das Umgürten nannte.

Die Panzer, in getheilten Stücken, an den Seiten
durch Schnallen verbunden, bedeckten Vorderleib und
Rücken. Man trug auch halbe Panzer, Brusthar=
nische, von Jason erfunden, von Alexander dem Großen
unter seinem Heere eingeführt, damit es um so weniger
dem Feinde den unbedeckten Rücken zukehren möchte. Die
Panzer bestanden gewöhnlich aus dem härtesten Metall.
Einst überreichte ein Künstler, Zoilus, dem Demetrius
Poliorcetes zwei eiserne Panzer zum Geschenk; um deren
Härte zu prüfen, ließ der Fürst, in einer Entfernung von
sechsundzwanzig Schritt, einen Pfeil von einer Catapulte
darauf abdrücken, der kaum eine Spur zurück ließ. Aber
diese allzu schweren Rüstungen vertauschte man oft gegen
Panzer von kleinen Ringen, Ketten, Schuppen, oder von
Leder und doppelten Linnen. Einen solchen leinenen
Panzer trug Alexander, obschon dergleichen sonst nur für
die Jagd bestimmt war.

Auch Hände und Füße waren geharnischt. Die Schilde
bestanden aus Holz oder Thierhäuten mit einer metallenen

Platte belegt, oft in der Mitte eine ziemlich weit hervor=
ragende Spitze bildend, an der nicht blos die Pfeile ab=
glitschten, sondern deren man sich auch als Angriffswaffen
bedienen konnte. Beim Marsche hing der Schild an einem
ledernen Riemen auf der Schulter, oder Arm und Faust
trugen ihn an Handhaben. Aeschylus spricht von kleinen,
am Schilde hängenden Glocken, die doch schwerlich, wie
er meint, den Feind schrecken konnten. Geeigneter hierzu
waren die Gestalten, die man auf den Schildern abzubil=
den pflegte. Menelaus trug auf dem seinigen einen Drachen,
mehrere den Adler, Alcibiades hingegen den Gott der Liebe
mit dem Blitz bewaffnet. Auf die Größe der Schilde mag
man schon aus der Gewohnheit schließen, die in der Schlacht
Gefallenen auf ihren Schilden wegzutragen. Daher das
berühmte Wort jener spartanischen Mutter, an ihren
Sohn gerichtet: »Mit deinem Schilde komm zurück, oder
auf demselben.« Die Soldaten pflegten sie vor sich hin
zu stellen, und darauf gelehnt zu schlummern. — Den
Schild verlieren, war des Kriegers höchster Schimpf. Der
sterbende Epaminondas fragte noch nach seinem Schilde.

Die Angriffswaffen der ältesten Zeit waren
Steine und Keulen, doch bald traten Lanzen, Pfeile
und Schleudern an deren Stelle, und das Schwert
hing über die Schultern, wurde aber selten im Gefecht,
öfter als Messer gebraucht. Den Dolch entlehnten die
Griechen in spätern Zeiten von den Persern. Die Schwert=
gefäße schmückte man gern mit Silber, Gold und Edel=

XVI. 13

fteinen, ober gab ihnen bie Geftalten von Löwen = unb
Ablersköpfen. Der Beile unb Streitärte erwähnt
Homer. Der Bogen, fcythischen Ursprungs, von Holz
ober Horn, mit Sehnen von Leber ober Pferdehaar, schoß
leichte befieberte Pfeile mit eifernen Wiberhaken; bisweilen
vergiftete man bie Spitzen, boch felten ließen bie Griechen
fich baju herab. Die Wurffpieße schleuberten fie burch
einen lebernen Riemen.

Auch bie Steine verschmähten bie alten Helben nicht;
aber welche Steine! Diomebes schwang einen Stein,
nach Homer's Erzählung, ben zwei Männer heutzutage
nicht aufheben würben, er aber zerschmetterte bamit bem
Aeneas bie Knochen. Eine Art von Mühlftein schleuberte
Ajar gegen ben Schild bes Hektor. Minerva felbft warf
einft einen Grenzftein bem Mars in ben Nacken, baß er
in bie Knie fank. In fpätern Zeiten, als Muth unb
Stärke fich verminderten, bebiente man fich ber Steine
blos bei Belagerungen.

Von ben Einwohnern ber balearifchen Infeln entlehnte
man bie Schleuber. Jene übten fich fo früh in ber Kunft
zu schleubern, baß felbft Kinder ihre tägliche Speife erft
erobern mußten, inbem fie biefelbe von einem Pfahl her=
unter warfen. Man schleuberte Steine, Pfeile unb fchwere
bleierne Kugeln mit folcher Gewalt, baß weber Helm
noch Schild, noch irgenb eine Rüftung ihnen wiberftanb.
Die Schnelligkeit ber Bewegung machte, wie Seneca ver=
fichert, bie Bleikugeln oft schmelzen. Auch Feuerkugeln

wurden geworfen, beſtehend aus Holz mit eiſernen Stacheln,
rings umwunden mit Hanf und Pech. Sie fuhren, entzün=
det, in die erſten Reihen der Feinde, klammerten ſich an
einen Gegenſtand vermittelſt ihrer Stacheln und verbreiteten
die Flamme. — Von der Kleidung der griechiſchen Solda=
ten weiß man nichts gewiſſes mehr. Vermuthlich war ſie
weiß, nur die der Spartaner purpurfarben. In einem Korbe
von Weiden geflochten, trugen ſie ihre Lebensmittel: ge=
ſalzenes Fleiſch, Käſe, Oliven, Zwiebeln und dergleichen.
Viele Wagen mit breiten Rädern, Mauleſel und Laſtthiere
folgten dem Heere, die Kriegesmaſchinen und die Schläuche
mit Wein und Eſſig tragend.

Der Feldherr der Athenienſer mußte rechtmäßig erzeugte
Kinder und Güter im Lande beſitzen; jene und dieſe ver=
bürgten ſeine Treue. Das Volk wählte ihn, und mehr als
Einmal, wenn er deſſen Zutrauen zu gewinnen und zu er=
halten wußte. Phocion wurde fünfundvierzigmal erwählt,
obſchon er ſich nie darum bewarb. Gewöhnlich mußte der
Feldherr, nach niedergelegtem Kommando, Rechenſchaft
ablegen, wurde jedoch, in ſeltenen Fällen, von dieſer Pflicht
entbunden, mit unbeſchränkter Vollmacht ausgerüſtet;
dann hieß er Autocrator (Selbſtherrſcher). Ein ſolcher
war Ariſtides in der berühmten Schlacht bei Platäa, auch
Alcibiades im ſicilianiſchen Kriege. Eigentlich hatte Athen
zehn Feldherrn, nach der Anzahl ſeiner Stämme, und der
Oberbefehl ſollte unter ihnen abwechſeln. Schwerlich hätten
auf dieſe Weiſe die Athenienſer ihren Kriegsruhm behauptet,

13 *

196

wenn fie nicht klüglich jederzeit nur Einen oder Zwei in's
Feld geschickt, die übrigen daheim auf andere Weise be=
schäftigt hätten. Die Lacedämonier kannten von Anbeginn
nur Einen Feldherrn, gewöhnlich Einer von ihren beiden
Königen, der dann nicht, wie in Friedenszeiten, dem Gesetz
unterworfen war. Doch ordnete man einen Kriegsrath ihm
zu, den auch die Athenienfer in bedenklichen Fällen hielten,
und schon Homer liefert Beispiele solcher Berathschlagungen.
Dicht vor dem Feldherrn fochten die Sieger in den heiligen
Spielen, ein Ehrenplatz, der ihnen mehr galt als die er=
rungene Krone.

Billig werden die Leferinnen mit allen ben griechischen
Namen der Unterbefehlshaber und der verschiedenen größern
und kleinern Abtheilungen des Heeres verschont. Bei jedem
Haufen von etwa hundertachtundzwanzig Mann befand
sich ein Ausrufer, der die Kommando=Worte mit lauter
Stimme wiederholte, ein Mann von starker Lunge. Der
berühmteste unter ihnen ist Stentor beim Homer, dessen
Stimme fünfzig Andere überschrie, und dessen Name noch
heute unter uns einen mit starker Lunge begabten Redner
bezeichnet. Waren Lärm und Getümmel dennoch zu stark,
oder sollten gewisse Befehle nicht laut ausgesprochen wer=
den, so gab der Fahnenträger — und wenn der Staub
diesen unsichtbar machte — der Trompeter das Zeichen.

Phalanx, nannte man den in Schlachtordnung
stehenden Haufen; er glich dem Bataillon Quarré. Die
Krieger drängten sich so dicht aneinander, daß die Lanzen

des fünften Gliedes drei Fuß weit über das erste Glied
hinausreichten. Die noch weiter Stehenden (denn der
Glieder waren sechzehn) legten die Spieße auf die Schul=
tern ihrer Vordermänner, trieben sie vorwärts, und mach=
ten den Angriff unwiderstehlich. Wie ein solcher Phalanx
bald im länglichen oder verschobenen, bald im halben oder
ganzen Zirkel sich bildete, je nachdem er angriffs= oder ver=
theidigungsweise verfuhr, das alles zu beschreiben könnte
nur den Soldaten interessiren. Uebrigens kann man aus
dem Homer lernen, daß die Taktik den Griechen nicht un=
bekannt war.

Ohne Ankündigung wurde kein Krieg begonnen. Man
forderte zuerst Genugthuung für empfangene Beleidigungen,
und neigte sich willig zum Frieden, wenn diese erfolgte. Selbst
der trojanische Krieg wäre unterblieben, wenn man den
Botschaftern, Ulyß und Menelaus, die Helena ausgeliefert
hätte. Plötzliche Einfälle, ohne vorhergegangene Kriegser=
klärung, galten für Plünderungen, und daher die, wegen
dieser Gewohnheit verschrienen Aetolier, für bloße Räuber.
— Die Gesandten waren gewöhnlich Greise und unver=
letzlich. Als die Lacedämonier die Gesandten des Xerxes
grausam ermordet hatten, so verschmähten die Götter ihre
Opfer, bis zwei edle Spartaner sich freiwillig zu dem Be=
leidigten begaben, um durch ihren Tod ihn und die Götter zu
versöhnen. Da beschämte der Perser die Griechen, und ent=
ließ jene Edlen unverletzt. Die Herolde, eine Würde, die
zu Athen und Sparta in gewissen Familien erblich war,

trugen in der Hand einen Lorbeer= oder Olivenstab von zwei Schlangen umwunden.

Eine seltsame, aber einen tiefen Blick in das menschliche Herz verrathende Gewohnheit, war die der Spartaner, mehrere Gesandten zu wählen, die einander nicht leiden mochten; Einer sollte die Treue des Andern bewachen. Auch ihre beiden Könige suchten sie gern miteinander zu entzweien.

Feierlich beschworne Verträge wurden auf Tafeln gegraben, und an den Orten aufgehangen, wo man die heiligen Spiele hielt. Man schickte sich an festlichen Tagen Botschafter zu, welche die Verträge öffentlich vorlasen und erneuerten; man beschenkte sich auch wohl mit gewissen Zeichen, Symbole genannt.

War der Krieg unvermeidlich, so forderte der Herold durch das Werfen eines Speers den Feind heraus. Die Athenienser setzten ein Lamm auf das feindliche Gebiet, dadurch andeutend, es solle dermaßen verwüstet werden, daß es künftig nur Schafen zur Weide dienen könne. Orakelbefragung, Opfer und Gelübde gingen dem Ausbruch jedes Krieges zuvor. Wahrzeichen, Witterung und gewisse Tage verzögerten oder beschleunigten das Vorrücken. Am ängstlichsten in Beobachtung alles dessen waren die Spartaner, die nie vor den Vollmond auszogen, selbst dann nicht, als die Athenienser, von den Persern hoch bedrängt, um schnelle Hilfe sie anflehten.

In den Lagern der Griechen standen die Tapfersten

stets auf beiden Flügeln. So Ajax und Achill vor Troja.
Bei Gefahr des Ueberfalls wurden die Lager befestigt. Ob
die gelagerten Soldaten ausschweifend oder mäßig leben
sollten, hing von der Neigung des Feldherrn ab. Philipp
von Macedonien verbannte zwei seiner Krieger, blos weil
er eine Sängerin bei ihnen antraf. Auch die Lacedämonier,
von andern Griechen unnachgeahmt, beobachteten gleiche
Strenge. Doch waren ihrer Jugend im Lager muntere
Scherze, leckere Speisen, kostbare Waffen, und sogar
Kleiderputz und Salben vergönnt, weshalb Xerxes erstaunt
den Bericht seiner Kundschafter vernahm: die Wachen der
Spartaner vertrieben sich die Zeit mit Spielen und Haar=
kräuseln. Sie waren darum nicht minder wachsam, und
ließen auch bei Nacht ihre Stimmen hören, sobald die
Runde mit einem Glöcklein sie dazu aufforderte. Die
Wachen durften ihre Schilde nicht mit sich nehmen, damit
sie dieser Vertheidigung beraubt, destomehr auf ihrer Hut
sein möchten. — Vor jeder Schlacht aß und trank man sich
recht satt (im Kontrast mit unserer heutigen Sitte) und
schon Ulyß ertheilte dem Achill den Rath, seine Truppen
mit Speise und Wein zu erquicken, denn, sagte er, »kein
Mensch kann fechten von Morgen bis zum Abend ohne zu
essen, und wäre er noch so muthig, Hunger und Durst
werden ihn überwältigen.« — Stand das Heer in Schlacht=
ordnung, so hielt der Feldherr eine Rede an dasselbe, deren
Wirkung bisweilen wundergleich war. Das merkwürdigste
Beispiel gab Tyrtäus, der hinkende athenensische Dich=

ter, ben zum Spott die Athenienser den Spartanern gesandt,
und dem das Orakel den Oberbefehl anvertraut hatte. Die
Lacedämonier, damals in vielen Gefechten besiegt, verzwei=
felten schon, als Tyrtäus unter ihnen auftrat, und von
dem Tode für das Vaterland so rührend und erhaben sang,
daß er jede Brust von kriegerischer Wuth entflammte. Ein
entscheidender Sieg war die Folge. Darum mußten sich
hinfort bei jedem Auszug die Spartaner um des Königs
Zelt versammeln, und die Lieder des Tyrtäus hören. Auch
ein Schlachtgesang, eine Hymne zu Ehren des Mars, wurde
vor dem Treffen angestimmt, und dem Apoll ein Siegeslied
nach der Schlacht.

Das Losungswort, an dem man sich erkannte, war
gewöhnlich der Name eines Gottes oder eines berühmten
Feldherrn. Man bediente sich auch anderer Zeichen: eines
Kopfnickens, oder Aneinanderschlagens der Waffen.

Das Erheben der Fahne war ein Zeichen zum Angriff,
das Neigen derselben, zum Rückzug. Mancherlei Bilder
schmückten die Fahnen; eine Eule die der Athenienser, ein
Sphynx die der Thebaner, eine Sonne die der Perser. Ein
purpurfarbenes Tuch an einen Speer befestigt, galt auch
für eine Fahne.

Ein seltsames Zeichen zum Angriff gaben die Priester
des Mars, die vor der Fronte brennende Fackeln dem feind=
lichen Heere zuwarfen, und dann, als unverletzlich, sich
zurückzogen. Man pflegte daher von einer mörderischen
Schlacht zu sagen: nicht einmal die Feuerträger sind ent=
kommen.

Vor Erfindung der Trompete oder Tuba bediente man
sich der großen Seeschnecken-Gehäuse, um darauf zu blasen, und wer in Italien, in der Gegend von Ancona, die
Hirten auf einem solchen Schneckengehäus hat blasen hören, der weiß, daß dieser Ton bei weitem furchtbarer
klingt, als der einer Trompete. Zu Homer's Zeiten kannte
man die letztere schon, und zwar sechs Arten derselben,
worunter die tyrrhenische am gellendsten schallte. Nur
die Spartaner folgten der Flöte. Warum geschieht das?
fragte man einst den Agesilaus. »Um die Zaghaften zu
erkennen," versetzte er, »denn sie vermögen nicht den abgemessenen Schritt zu halten, den der Flötenmarsch begehrt."
Andere meinen, es sei geschehen, um die erste Wuth zu
dämpfen und Ordnung zu erhalten. Bei dem Heere der
Arkadier war die Pfeife, bei denen der Cretenser die Harfe
im Gebrauch.

Mit dem Zettergeschrei Alal! geschah der Angriff. Nur
in den ältesten Zeiten fochten die Feldherrn an der Spitze
ihrer Heere. — Den fliehenden Feind verfolgten die Spartaner nicht weit und nur mit langsamen Schritten, eine von
Plutarch gerühmte Großmuth, die aber oft den Krieg ver-
längert haben mag.

Die ruhmwürdigste Art, einen Krieg zu endigen — und
wollte Gott sie wäre noch im Gebrauch! — war der Zweikampf, den Könige und Feldherren unternahmen, um
das Blut der ihrigen zu schonen. So Xanthus, der König der Böotier, der durch das Opfer seines Lebens den

Krieg mit Athen beendigte. So Pittacus, der Mytile=
ner, der den athenienſiſchen Feldherrn Phryno im Zwei=
kampf erlegte. So die dreihundert Spartaner, die mit eben
ſo vielen Argivern um Thyrea kämpften. So die ſechs
Brüder aus zwei Heeren verſchiedener Völker in Arkadien,
eine Begebenheit, die ganz dem berühmteren Kampfe der
Horatier und Curiatier ähnlich war. Es ſcheint, der Orient
kannte und übte dieſen Gebrauch, von dem der Rieſe Go=
liath bei den Philiſtern ein Beiſpiel liefert.

In der älteſten Geſchichte Griechenlands findet man
keine Spur von Belagerungen, denn die Städte waren
ohne Mauern. Ein ſolches Werk, wie eine Stadtmauer,
ſchien übermenſchliche Kräfte zu erfordern, daher bemühte
man anfangs die Götter damit. Neptun und Apoll hatten
die Mauern von Troja erbaut. — Gelang einem Sterbli=
chen ein ſolches Rieſenwerk, ſo wurde er nicht ſelten ver=
göttert.

Die Griechen, und vor Allen die Spartaner, ſchlugen
ſich lieber im offenen Felde, unternahmen ungern eine Be=
lagerung, denn ſie verſtanden nichts davon, und hielten
es wohl gar verkleinerlich für ihre Würde. »Jedes Weib
von der Mauer herab kann dich tödten,« ſagten ſie, und
Lyſander's Tod galt für ruhmlos, weil er vor einer kleinen
böotiſchen Stadt gefallen, ſo wie Pyrrhus, der große König
von Epirus, durch die Hand eines Weibes von Argos fiel.
— Wenn man nun aber doch eine Stadt erobern wollte,
ſo umzingelte man ſie und lief Sturm. Mißlang dies Wage=

ſtück, ſo wurde oft die ganze Unternehmung aufgegeben. Wo nicht, ſo legte man Verſchanzungen an, und bereitete die Kriegsmaſchinen, unter denen die Sturmleitern wohl die älteſten geweſen ſein mögen, da dieſe Erfindung ſich gleichſam von ſelbſt darbietet. Sie beſtanden aus Holz, Stricken und Leder. Dann folgte der Mauerbrecher, Sturmbalken. Am unbegreiflichſten ſcheint das ſogenannte Sturmbach, welches die Soldaten durch ihre Schilde über die Köpfe gehalten bildeten, daß ſie unter demſelben, ſo ſicher als eine Schildkröte in ihrer Schale, an die Mauer rücken konnten, iſt wohl noch zu begreifen, daß ſie aber, durch ihr Aneinanderbrängen, dieſem Dache eine ſolche Feſtigkeit verliehen, daß ſogar Reiter und Wagen darüber hin ſprengten und rollten, iſt ſchwer, ſich vorzuſtellen. Leichter mag es geweſen ſein, aus den Schilden eine Art von beweglicher Treppe zu machen, welche die Sturmläufer trug.

Schanzkörbe oder Schirme aus Weidenzweigen dienten gleichfalls zur Bedeckung, unter deren Schutz die Belagerer ihre ungeheuern Wälle aufwarfen, die oft noch über die Stadtmauern emporragten. Achtzig Fuß hoch und dreihundert Fuß breit, ja noch höher und breiter waren ſie bisweilen, und wurden doch in kurzer Zeit vollendet. Bewegliche Thürme ſtanden darauf, abermals zehn Stockwerke hoch, im unterſten ein Mauerbrecher, in den folgenden Sturmgeräthe, Fallbrücken u. ſ. w., in den obern Bogenſchützen und Wurfſpießſchleuderer, die den Tod in alle

Straßen der Stadt hinabsandten. Bisweilen erbaute man
ganz im Stillen in der Mitte des Thurms noch einen klei=
neren, der dann plötzlich durch ein Schrauben=Gewinde
sich über den großen erhob, zum Schrecken der Belagerten.

Von den **Mauerbrechern**, deren eiserner Beschlag
einem Widderkopfe glich, werden unglaubliche Dinge er=
zählt. Ihre Länge und Größe war bisweilen ungeheuer. Ein=
hundertfünfzig Paar Ochsen oder dreihundert Paar Pferde
und Maulesel waren erforderlich, um sie fortzubewegen,
und fünfzehnhundert Mann, um sie gegen die Mauern zu
stoßen. Vor Carthago sollen sogar zu jedem Mauerbrecher
sechstausend Mann befehligt worden sein, vermuthlich doch
nur, um sich abzulösen, denn unmöglich fanden sie Alle
Platz, ihn zu schieben. — **Helepolis** hieß eine ähnliche,
aber noch zusammengesetztere Maschine, welche Demetrius
Poliorcetes erfand, und Rhodus damit eroberte. —

Die **Katapulten** warfen Pfeile, schleuderten Steine
und Klötze. Die **Ballisten** konnten durch geschleuderte
Mühlsteine ganze Häuser zerschmettern. Mit solchen Waffen
und Werkzeugen griffen die Belagerer an. Wie vertheidigten
sich aber die Belagerten? — Durch Rauch am Tage und
Feuer bei Nacht gaben sie den Bundesgenossen Nothsignale.
Hinter den Mauern das Wurfgeschütz, auf den Mauern
die Krieger, die, was nur immer vernichtend war, auf die
Belagerer hinabschossen oder warfen. Als Alexander Tyrus
belagerte, füllten die Tyrier glühend gemachte eherne
Schilde mit Sand und Kalk, die den Sturmläufern zwischen

Rücken und Panzer fielen, sie nöthigten, die Rüstung weg=
zuwerfen und jedem Streiche sich bloszustellen. — Die
Minen der Belagerer verdarben die Vertheidiger durch
Gegenminen, untergruben die Verschanzungen, verbrannten
durch Feuerkugeln die feindlichen Thürme und Kriegsma=
schinen, zerschmetterten durch große Steine die Spitzen der
Mauerbrecher, schnitten die Stricke, mit welchen man sie
lenkte, vermittelst großer Sensen ab, führten neue Mauern
hinter den alten auf u. s. w.

Das Schicksal einer eroberten Stadt hing von dem
feindlichen Feldherrn ab. Die Waffentragenden wurden
niedergehauen, die Mauern eingerissen, die Einwohner zu
Sklaven gemacht. Oder sie entrichteten, begnadigt, einen
Tribut. Die Athenienser schickten Kolonisten in die ver=
wüsteten Städte. — Wurde ein eroberter Platz dem Erd=
boden gleich gemacht, so sprach man die schrecklichsten Flüche
über denjenigen aus, der es wagen würde, ihn wieder auf=
zubauen. So Agamemnon über Troja, welches nie wieder
aus seinen Ruinen hervorging.

Die Rache der ältesten Griechen war mit dem Tode
der Feinde noch nicht gesättigt. Sie mißhandelten und be=
schimpften auch noch die Leichname. Man weiß, was dem
Leichname Hektor's widerfuhr. Der Kopf des tapfern Leo=
nidas wurde von den Persern auf eine Stange gesteckt, sein
Leichnam an den Galgen gehangen. Doch damals hegten
schon die Griechen Abscheu vor solcher Grausamkeit, und
Pausanias weigerte sich, an dem überwundenen Mardonius

das Vergeltungsrecht auszuüben. Auch schon im trojanischen
Kriege kaufte man öfter die Leichname der Gebliebenen,
um sie rühmlich zu begraben, woran der Feind nicht hin=
derte. Ein solches Begräbniß war eine heilige Pflicht der
Griechen, und die Athenienser verdammten zehn siegreiche
Admirale zum Tode, blos weil sie die Leichname nicht
sorgsam genug aus den Wellen gerettet, um sie zur Erde
zu bestatten, obgleich ein Sturmwind sie daran gehindert
hatte. Nicias, Sieger in einer Schlacht auf dem Boden
der Corinther, bei seinem Rückzug gewahrend, daß zwei
seiner Erschlagenen mitzuführen vergessen worden, machte
Halt und erbat durch einen Herold vom Feinde die Erlaub=
niß, sie zu holen, obgleich er durch diese Bitte auf die Ehre
Verzicht that, eine Trophäe errichten zu dürfen, denn der
galt nicht für Sieger, der ein solches Begehren an den
Feind gelangen ließ. Chabrias hätte bei Naxos die ganze
Flotte der Lacedämonier zu Grunde richten können, doch
um keinen Leichnam der Seinigen den Wellen Preis zu
geben, begnügte er sich lieber mit einem unvollständigen
Siege.

In der Entfernung vom Vaterlande verbrannten die
Griechen ihre Erschlagenen, um wenigstens die Asche mit
in die Heimath zu bringen. Die Spartaner jedoch beobach=
teten diesen Gebrauch nur mit ihren Königen, die sie mit
Honig einbalsamirten. — Dem Leichenzuge folgten die
Krieger mit umgekehrten Waffen. Inschriften verewigten den
Ruhm des Gefallenen. Auch hier zeichnete sich Sparta durch

eine seltsame Gewohnheit aus; denn außer den im Treffen Gebliebenen, durfte blos das Grabmahl einer in Geburts= schmerzen gestorbenen Frau mit einer Inschrift geschmückt werden. Jener Leichnam wurde mit grünen Zweigen, auch wohl mit einem Purpurgewand geziert, eine Lobrede an seinem Grabe gehalten, seine Rüstung darauf gestellt.

Fiel eine Schlacht nicht weit von Sparta vor, so kamen die Mütter selbst, um die Leichname ihrer Söhne zu unter= suchen. Die, welche Wunden auf den Rücken hatten, ließen sie liegen, oder trugen sie still vom Schlachtfeld. Diejenigen aber, deren Wunden bezeugten, daß sie dem Feinde nicht den Rücken gekehrt, wurden im Triumph unter lauten Freudenbezeugungen, auf ihrem Schilde zu der Gruft der Voreltern getragen. — Die Athenienser pflegten die Geblie= benen drei Tage vor deren Beerdigung in Zelten auszu= stellen, damit die Verwandten sie sehen, und zu den Feier= lichkeiten mitwirken könnten. Jeder Stamm schickte einen Sarg von Cypressenholz, um die Gebeine der ihm Ange= hörigen zu sammeln, und ein leerer Sarg folgte dem Zuge, dem Andenken derer gewidmet, deren Leichname nicht ge= funden wurden.

Kriegsgefangene und feindliche Rüstungen wa= ren die Beute, welche der Soldat zu hoffen hatte. Jene wurden als Sklaven gebraucht oder verkauft, diese den Er= schlagenen nach der Schlacht geraubt. Der Feldherr wählte das Beste für sich und vertheilte das Uebrige. So wählte im trojanischen Kriege zuerst Agamemnon das schönste ge=

fangene Mädchen, dann Achill, dann Ajax u. s. w. Eine
kostbare Beute huben die Soldaten immer für den Feld=
herrn auf. Doch vor allen Dingen wurde für die Götter ein
Theil zurückgelegt, verbrannt, oder Tempeln geweiht.
Trophäen errichtete man von feindlichen, erbeuteten Rüstun=
gen. — Wer aus dem Kriegsdienst in das Privatleben
zurückkehrte, pflegte auch wohl seine eigenen Waffen im
Tempel aufzuhängen, doch auf irgend eine Weise unbrauch=
bar gemacht, damit sie nicht etwa bei einem Aufruhr zur
Bewaffnung dienen möchten.

Durch Opfer und Feste dankte man den Göttern für
den Sieg. Am sparsamsten hiebei, und überhaupt am
gleichgiltigsten, waren oder stellten sich die Spartaner.
Nach der berühmten Schlacht bei Mantinea beschenkten
sie den Siegesboten blos mit einem Stück eingesalzenen
Rindfleisch, und den Göttern opferten sie nie mehr als einen
Hahn. Nur wenn der Sieg durch List, ohne Blutvergießen
errungen worden, brachten sie einen Stier zum Opfer, ihre
Feldherrn dadurch belehrend, daß der Sieg der rühmlichste
sei, der dem Staat keine Bürger koste.

Die Sieger hielten ihren feierlichen Einzug in die
Stadt, bekränzt, unter Absingung von Hymnen; sie schwan=
gen ihre Speere, führten die Gefangenen mit sich, und
stellten die Beute öffentlich aus. — Wer eine Trophäe nie=
derriß, galt für einen Gottlosen; doch nicht minder der,
der eine verfallene wieder aufrichtete, aus dem löblichen
Grunde, es möchte vergessener Zwist dadurch erneuert

werben. — Nur den Macedoniern verbot ein Gesetz, Trophäen zu errichten, weshalb auch der sonst so ruhmsüchtige Alexander es nie gethan. Bald nach seiner Zeit erlosch der Gebrauch solcher Sieges-Denkmähler.

Nicht Ruhm und Beute allein, auch Lohn und Strafe unterhielten den kriegerischen Geist. Der Ueberläufer büßte mit dem Leben. Wer sich weigerte zu dienen, mußte, einem alten Gesetze zufolge, drei Tage nacheinander auf dem Markte in Weiberkleidung sitzen. Der Zaghafte durfte weder einen Tempel betreten, noch den Volksversammlungen beiwohnen, noch eine Krone empfangen. Die Lacedämonier waren am strengsten in der Kriegszucht. Bei ihnen durfte kein Mädchen mit einem Ueberläufer sich vermählen — jeder ihm Begegnende hatte das Recht ihn zu schlagen, er mußte es geduldig leiden — ein schmutziges Kleid mit bunten Lappen besetzt, und ein halb geschorner Bart zeichneten ihn aus — der Schimpf traf sein ganzes Geschlecht; daher die Mütter solcher Abtrünnigen sie nicht selten mit eigener Hand ermordeten. Wir besitzen noch ein griechisches Epigramm, welches eine Mutter, die ihren Sohn durchbohrt hatte, redend einführt: »Steig hinab in die Finsterniß, du Ausgearteter! damit nicht Eurotas für feige Hirsche fließe. Du Schändlicher! steig hinab in den Orcus! du bist Lacedämons nicht werth! Ich habe dich nicht geboren.« — Bisweilen traf sogar derselbe Schimpf den, der nur seinen Schild verloren hatte. Der Dichter Archilochus rühmte sich in einem Gedicht, seinen Schild unter einem Gesträu

XVI.   14

verborgen zu haben, dafür wurde er aus Sparta verbannt.
— Wer seine Waffen verpfändete, war seiner Ehre verlustig.

Unter die ersten Belohnungen der schützenden Tapferkeit wurde wie billig die schutzbedürftige Schönheit gerechnet. Telamon, der erste auf den Mauern,
als Herkules Troja stürmte, trug als Beute die Königstochter Hesione davon; Theseus, der Amazonen Bekämpfer, die Königin Antiope. Agamemnon versprach
dem Teucer, wenn Ilium erobert würde, einen Dreifuß, oder zwei Rosse, oder eine gefangene Dirne. — Reizte
die Schönheit den Krieger nicht, so konnte er eine Krone
verdienen, auf welche sein Name und seine Thaten einge-
graben waren, oder er durfte Bildsäulen mit solchen Inschriften errichten. Zu Athen hing er seine Waffen in der
Burg auf, und erhielt den ehrenvollen Beinamen Cecro-
pide, das hieß: ein Bürger von alter echter Herkunft. Das
Geschenk einer vollständigen Rüstung erwarb sich Alcibiades schon als Jüngling. Siegeslieder verherrlichten den
Ruhm Lysander's.

Die Eltern und Kinder der Gebliebenen versorgte und
erzog der Staat. Waren die letztern herangewachsen, so
bestritt der öffentliche Schatz noch ihre Ausrüstung und ein
Herold rief: »Diese Jünglinge hat der Staat erzogen, der
Verdienste ihrer Väter achtungsvoll gedenkend. Nun werden
sie den Göttern empfohlen und wohlgerüstet entlassen, um
dem Beispiel ihrer Väter zu folgen.« — Auch den Un-

terhalt der Verstümmelten, wenn sie dessen bedurften, über=
nahm der Staat. —

Kundschafter und geheime Boten waren den Griechen
nicht unbekannt. Hemerodromus wurde ein Schnell=
läufer genannt, der die Bewegungen des Feindes beob=
achtete und den Seinigen meldete. In dem Kriege gegen
Xerxes lauschten solche Leute auf den Bergen von Euböa.
Philonides hieß Alexander's berühmter Schnellläufer.
Sie waren leicht bewaffnet. — Der sinnreichsten Erfin=
dung geheime Befehle dem Feldherrn zuzusenden, bedienten
sich die Spartaner. Von zwei runden, hölzernen, einander
völlig gleichen Stäben wurde der eine zu Lacedämon auf=
bewahrt, den andern nahm der Feldherr mit. Wollte man
ihm nun etwas Geheimes kund thun, so wickelte man schmale
Streifen von Pergament um den Stab, so daß die Rän=
der sich berührten. Das nun darauf geschriebene konnte,
wenn die Streifen wieder abgewickelt waren, niemand lesen,
als der Feldherr, der sie um seinen Stab legte, denn die
Ränder trugen nur die Hälfte der Buchstaben, die erst durch
das Zusammenfügen in dieselbe Ordnung leserlich wurden.

---

5. Das Seewesen der Griechen.

Wer zuerst die Kunst erfand, auf dem Wasser zu schwe=
ben, das mögen die Damen aus Geßner's schönem Ge=
dicht, der erste Schiffer, lernen, denn fürwahr, der Ge=
schichtschreiber weiß davon nicht mehr als der Dichter. Ein
ausgehöhlter Baumstamm war das erste Schiff. Doch nicht

14 *

aus Holz allein, auch aus Leder und aus dem egypti=
schen Schilfrohr, Papyrus, wurden leichte Böte ver=
fertigt, bis nach und nach schwimmende Paläste mit
ausgespannten Flügeln entstanden. Die Erfinder, und die,
welche sich darauf wagten, galten für Heroen. Man ver=
setzte die Schiffe unter die Sterne. Die beiden Himmels=
zeichen, der Widder und der Stier, waren blos zwei
Schiffe, deren eines den Phryxus von Griechenland nach
Colchos, das andere die Europa aus Phönicien nach Creta
brachte. — Die Alten kannten Lastschiffe, Kriegs=
schiffe und Ueberfahrtsschiffe.

Die Kriegsschiffe wurden mehr durch Ruder als Se=
gel getrieben, um sie leichter bewegen und wenden zu
können; die Ueberfahrtsschiffe an Seilen gezogen. Drei bis
fünf Ruderbänke hatten Jene. Fünfzig Ruderer befanden
sich auf dem des Jason. Ptolemeus Philadelphus ließ aus
Eitelkeit Schiffe mit dreißig Ruderbänken erbauen, aber
sie waren allzu kostbar, schwer zu regieren, und erforderten
zu viele Menschen. Die Vordertheile der Schiffe pflegte
man zu vergolden, oder mit allerlei Farben und Bildern
zu schmücken. Roth und blau waren die beliebtesten Far=
ben in den ältesten Zeiten, wie aus den Beschreibungen
Homer's zu ersehen. Sie wurden mit Wachs vermischt auf=
getragen, und widerstanden auf diese Weise der Sonne
und den Wellen.

Außer einer bunten Flagge, oder einem geschnitzten
Bilde, das die Stelle der Flagge vertrat, mußte jedes

Schiff mit der Abbildung eines Gottes versehen sein, der es schützte, vor dem man betete und Opfer brachte. Europens Schiff hatte den Stier zur Flagge und den Jupiter zum Schutzgott, daher die Fabel. Des Theseus Flotte segelte unter dem Schutz Minervens, Achill's Flotte unter dem der Nereiden, seiner Muhmen, denn auch seine Mutter Thetis war eine Nereide.

Mit Kränzen und Blumen bedeckt wurden die Schiffe unter lautem Jubel von bekränzten Seeleuten vom Stappel gelassen, ein Priester reinigte sie mit einer brennenden Fackel und weihte sie dem bestimmten Schutzgotte.

Die ältesten Anker waren Körbe voll Steine, Säcke voll Sand, an Stricken hinabgelassen; ihre Schwere hemmte des Schiffes Lauf. Mit Ballast wurde es beschwert, gewöhnlich mit Sand. Diomedes aber bediente sich der Steine von den trojanischen Mauern. Durch allerlei Werkzeuge wurde des Meeres Tiefe gemessen, das Wasser ausgepumpt, das Ein= und Aussteigen erleichtert. Die Erfindung der Segel wird dem Dädalus zugeschrieben, daher in der Fabel seine Flügel. Leinewand, Leder, und im Nothfall auch Kleider, spannte man als Segel aus, Herkules einst eine Löwenhaut. Bei Wendungen konnte der Mastbaum niedergelassen werden. Die ältesten Seile und Taue waren lederne Riemen, bis Hanf, Flachs und allerlei Rinden sie verdrängten. — Die Kriegsschiffe trugen Schnäbel mit Eisen beschlagen, um die feindlichen Schiffe zu beschädigen. Bisweilen war das ganze Vordertheil zum Schutz

214

gegen Klippen und Feinde mit Eisen bedeckt. Homer weiß
noch nichts von den Schnäbeln, aber Aeschylus setzt deren
zehn an Nestors Schiff, und beim Euripides seufzt Iphi-
genia: »O daß Aulis die mit ehernen Schnäbeln bewaffnete
Schiffe nimmer in diese Häfen aufgenommen hätte!« — Anfangs waren sie lang und hoch, dann kurz und unter dem
Wasser eine Erfindung, durch welche die Syracusaner einst
viele Schiffe der Athenienser beim ersten Angriff zerstörten.
Von dem, durch eine Brustwehr von ausgespannten Häuten
geschützten Verdeck herab fochten die Soldaten. D e l p h i n
nannte man ein schweres Stück Blei oder Eisen, in Gestalt dieses Fisches, welches, vom Mastbaum herabhängend,
mit großer Gewalt gegen die feindlichen Schiffe geschleu-
dert wurde, sie oft durchlöcherte oder gar versenkte. Das
Unterscheidungszeichen der Kriegsschiffe war ein Helm auf
der Spitze des Mastbaums.

Noch zu Homer's Zeiten kannte man keine, dem Seedienst besonders gewidmete Menschen-Klasse, sondern Jeder
zu dem Schiff gehörige führte wechselsweise bald das Ruder,
bald den Bogen. Aber als die Seekriege häufiger wurden,
die Kunst sich vervollkommte, da besetzte man die Kriegsschiffe mit dreierlei Dienenden: R u d e r e r, oft aus Misse-
thätern gewählt, ihre Arbeit sauer, ihr Lohn karg; M a -
t r o s e n, deren Jedem ein bestimmtes Geschäft angewiesen
war, gewöhnlich rohe, liederliche Menschen; S o l d a t e n,
schwerer noch bewaffnet, als die zu Lande dienenden, weil
auf dem Schiffe sie nicht weichen konnten. Sie hatten auch

Sicheln zur Hand, an lange Stangen befestigt, um die Stricke der feindlichen Segel damit durchzuschneiden; und eiserne Haken oder Klammern zum Entern, oder um die Schiffe zu heben.

Erst als Xerres in Griechenland einfiel, bildeten die Athenienser, auf den Rath des Orakels, oder eigentlicher des Themistocles, eine Seemacht, durch deren Hilfe sie die höchste Staffel ihres Ruhms erklimmten. Vierhundert dreirudrige Schiffe zählten sie. Alle Bundesgenossen mußten Geld oder Schiffe zu dieser Flotte liefern. Den Admiral wählte das Volk und rüstete ihn mit großer Macht aus, doch nur auf beschränkte Zeit, und fast wäre Epaminondas zum Tode verurtheilt worden, weil er, zum Heil des Vaterlandes, diese Würde vier Monat länger behielt, und sie dann erst freiwillig niederlegte. Der Steuermann saß am Steuerruder, lenkte das Schiff, und beobachtete die Gestirne, besonders den Hundsstern, den Orion, das Siebengestirn, den großen Bär und einige andere. Auch mußte er in den Vorbedeutungen erfahren sein, welche von Vögeln, Fischen, Wellen u. s. w. hergenommen wurden. Die Phönicier folgten dem kleinen Bär und fuhren am sichersten. — Zu der Schiffsbesatzung gehörte auch ein Tonkünstler, um die Ruderknechte zu beleben, vielleicht noch mehr, um den Ruderschlag im gehörigen Zeitmaß zu erhalten.

Ehe die Flotte absegelte, opferte man den Winden, den Ungewittern und besonders dem Neptun; die ganze Schar der Zuschauer am Ufer vereinigte ihr Gebet m?

dem der Seefahrer. Man ließ eine Taube fliegen, und dann
gab eine Trompete das Zeichen zur Abfahrt. Da wurden
die Schiffe durch Walzen und Hebebäume und durch die
angestemmten Schultern der Matrosen in die See geschoben. Archimedes erfand eine Maschine, die dies erleich-
terte. Mit Blumen und Kränzen geschmückt wogten die
Schiffe nun dahin, zuerst die kleinern, dann die Kriegsschiffe, an deren Spitze das prächtig verzierte Admirals-
schiff, endlich die Lastschiffe. Nach einer Landung waren
Dankopfer der Seefahrer erste Pflicht, vor allem wenn die
Götter aus einem Schiffbruch sie errettet hatten. Diese
Opfer wurden mit Geschenken begleitet, oder Tafeln, welche
die Begebenheit erzählten. Wer den Göttern nichts zu bringen hatte, der legte wenigstens sein abgeschnittenes Haar
auf ihre Altäre.

Außer den von der Natur geformten Häfen gab es
durch Kunst erbaute, durch Dämme gebildete, deren Zu-
gang wohl durch Ketten oder vorgezogene Bäume gesperrt
werden konnte, auf den beiden Landspitzen von Kriegern
in festen Thürmen bewacht. Der P h a r o s war ein Leucht-
thurm, der seinen Namen von einer kleinen Insel im Nil
erhalten, wo man sich dessen zuerst bediente. Dicht um
den Hafen standen, neben Tempeln und Altären, Her-
bergen für Reisende und Wohnungen der Lustdirnen, welchen das Meer täglich neue Beute zuführte. Da schlugen
die Seefahrer Zelte auf, während die Flotte vor Anker lag.

Vor dem Anfang einer Seeschlacht wurde alles Ent-

behrliche aus den Schiffen weggeräumt, um sie zu erleich=
tern. Die Segel wurden eingezogen, die Mastbäume nie=
dergelassen, dem Winde Alles entrückt, was er hätte fas=
sen können. Die Ruder allein lenkten das Schiff. Bald
in der Gestalt eines halben Mondes, bald in der eines la=
teinischen V stellte man sich in Schlachtordnung, betete zu
den Göttern, sang Hymnen dem Mars und Apoll. Der
Admiral fuhr in einem leichten Nachen von Schiff zu
Schiff, um den Muth der Seinigen anzufeuern. Dann
hing er an seinen Mast ein rothes Tuch oder ein vergolde=
tes Schild, das Signal zum Treffen. Es währte so lange,
bis dieses Zeichen abgenommen wurde. Konnte man die
feindlichen Schiffe entern, so stürzten die Soldaten auf
niedergelassenen Brücken hinüber. — Städte wurden bis=
weilen von Flotten belagert, die sie gänzlich einschlossen,
ihre Schiffe durch Brücken mit einander verbanden, und
von diesen Brücken herab ihre Soldaten den Angriff ma=
chen ließen. So belagerte Alexander Tyrus. Auch hatte er
Thürme erbaut, höher als die Stadtmauern, ein unge=
heures, furchtbares Werk, mit großen Aufwand von Zeit
und Mühe errichtet, aber von den Tyriern durch Bran=
der in wenigen Minuten zerstört.

Eine siegreiche Flotte kehrte bekränzt, mit Beute bela=
den heim. Die Schiffe wurden mit Kränzen und Lorbeer=
zweigen so bedeckt, daß man die Besatzung nicht mehr se=
hen konnte; ein Gebrauch, durch den die Rhodier einst
große Gefahr liefen, ihre Freiheit zu verlieren, denn

Feinde hatten die den Rhodiern selbst abgenommenen Schiffe auf diese Weise geschmückt, und fuhren so gerades=wegs nach Rhodus, wo man sie als heimkehrende Sieger jubelnd aufnahm. Die Griechen bedienten sich häufig dieser List.

Mit den Schnäbeln der erbeuteten Schiffe zierte der Sieger die Seinigen. Wenn er unter Lobgesängen, Freu=dengeschrei und Flötenklang an's Ufer trat, so widmete er den Göttern die schönste Beute, oft ganze Schiffe, und errichtete Denkmähler an öffentlichen Plätzen der Stadt. Die ihm zugestandenen Trophäen zeigten, außer den Waf=fen, Bruchstücke von Schiffen. Die übrigen Belohnungen waren ihm gemein mit den zu Lande dienenden Kriegern. — Die Strafen im Seedienst bestanden in der Geißelung mit Stricken, oder im Untertauchen. Schwere Verbrecher wurden in die See geworfen, Entflohenen die Hände ab=gehauen.

G. Die Leichenfeier der Griechen.

Unter vielen schwachen Beweisen für die Fortdauer unsers Daseins nach dem Tode möchte es doch keiner der schwächsten sein, daß alle Nationen, die rohesten und wildesten, wie die cultivirtesten, den Glauben davon in ihrem Busen tragen, ohne es oft selbst einmal zu wissen; denn woher sonst die mehr oder minder religiöse Sorgfalt aller Völker für ihre Todten?

Eine alte Sage schrieb dem Pluto das Verdienst zu,

die Griechen das Begraben gelehrt zu haben; darum
sei er vergöttert und zum Könige der Unterwelt gemacht
worden; allein für das Begraben möchten wohl die Men=
schen keines andern Lehrers bedurft haben, als der Natur.
Antigone sagt beim Sophocles: »nicht seit heute oder
gestern, seit undenklichen Zeiten besteht dies Gesetz, und
Niemand kennt dessen Ursprung.« Aber Pluto mag ein
Schwärmer gewesen sein, der, vermuthlich bei dem Tode
einer geliebten Person, zuerst die abgöttische Verehrung
der Verstorbenen einführte, welche unter den Griechen so
weit ging, daß es für ein weit schwereres Verbrechen galt,
die Pflicht gegen einen Todten, als die gegen einen Leben=
den zu verletzen; ja man durfte eher die Tempel der Götter
als ein Grabmahl entweihen und plündern. Haß und Neid
verstummten, sobald der Feind gestorben war; kein Grieche
wagte es, seine Rache bis über das Grab hinaus zu deh=
nen. Mochte er immer die schwersten Beleidigungen erlitten
haben, vielleicht von den Kindern des Verstorbenen noch
erleiden, das konnte den Gottlosen nicht entschuldigen,
wenn er Böses von einem Todten sprach. Nicht Schande
und Verachtung allein trafen den Uebertreter jener heilig=
sten Pflicht, sondern auch harte Strafe nach Solon's
Gesetzen. Wer vollends unterlassen hätte, einen Todten
zu beerdigen, der würde, als ein Verfluchter, von aller
Welt verabscheuet worden sein.

Sonder Zweifel trug hiezu der Glaube bei, daß die
abgeschiedene Seele nicht eher in Elysium wandeln könne,

bis der Leichnam zur Erde bestattet worden. Daher legen
die Dichter so oft den Sterbenden die flehentlichsten Bitten
um ein Begräbniß in den Mund. Man erinnere sich an
den Geist Elpenor's beim Homer, wie er den Ulysses
anredet: »Ich flehe zu dir bei allen den Lieben, welche du
in der Heimath zurück gelassen! bei deiner Gattin, deinem
Vater, der dich erzogen, beim Telemach, der verwaist
daheim blieb! Ich beschwöre dich, laß mich, wenn du von
hinnen ziehst, nicht unbeweint und unbegraben zurück!
sonst möge der Götter Zorn dich treffen!« —

Darum war es auch der härteste Fluch der Griechen:
Möchtest du unbeerdigt bleiben! und die schreck-
lichste Todesart, durch Schiffbruch umzukommen, weil
dann des Meeres Abgrund den Leichnam verschlang. Ovid,
des Lebens überdrüssig, den Tod sehnlichst herbei wünschend, schaudert dennoch vor dieser Todesart. Wer in
solcher Gefahr schwebte, pflegte das Kostbarste, was er
hatte, um seinen Leib zu binden, nebst einer schriftlichen
Bitte an den, der seinen Leichnam, von den Wellen aus-
gespieen, finden würde, ihm die Wohlthat der Beerdigung zu erzeigen, und dafür zum Lohne seinen Nachlaß
zu empfangen. Aber auch an einem nackten Leichnam, den
keine Bitte und kein Geschenk empfahl, gleichgiltig vorüber
zu gehen, war ein Verbrechen und zog die unabwendbare
Rache der unterirdischen Gottheiten nach sich. Ein solcher
Frevler blieb ausgeschlossen vom Umgange mit Menschen,

wie von den Tempeln, bis er sich gereinigt, den Zorn der
Götter besänftigt hatte.

Doch forderte man nicht von einem Reisenden, der
etwa einen Leichnam fand, daß er denselben feierlich
bestatten, und deshalb seine Reise unterbrechen solle; es
war genug, wenn er drei Hände voll Staub oder Erde
auf dessen Haupt streute, und im Nothfall öffnete Pluto
einem so sparsam Bestreuten die Pforten seines unterirdischen Reiches. Fand jedoch ein Freund oder ein minder
eiliger Reisender den Leichnam so unvollkommen beerdigt,
so begrub er ihn zum andern Male mit mehreren Feierlichkeiten. Dahin gehörte besonders die Zubereitung des Leichnams durch die nächsten Anverwandten, und dessen Bei-
setzung in der väterlichen Gruft; denn dieses letztern Vor-
zugs beraubt zu sein, schien dem Sterbenden oft härter
als der Tod. Als Electra, beim Sophocles, den vermeinten Tod Orest's beweint, jammert sie am meisten darüber,
daß er in der Fremde umgekommen, und sein Leichnam
die väterliche Gruft entbehren müsse. Wir besitzen noch
die Grabschrift des Leonidas von Tarent, die den Verstorbenen redend einführt: »Hier liege ich, fern von Italien
und dem väterlichen Tarent, und das ist mir bitterer als
der Tod!« — Darum brachte man wenigstens die Asche
der Verstorbenen in ihr Vaterland zurück. Oft wurde dies
sogar durch ein Orakel befohlen.

In Athen nahmen selbst die Sklaven an der Sorge des
Staats für die Verstorbenen Theil. Wehe dem, der bei der

Leichenfeier seiner Verwandten sich karg oder säumig be=
wies! es war eine der wichtigsten Prüfungsfragen, die
dem Bewerber um eine obrigkeitliche Würde vorgelegt
wurden: ob er diese Pflicht gewissenhaft erfüllt, ob er die
Denkmähler seiner Todten gebührend geschmückt habe?
konnte er diese Frage nicht genug beantworten, so gab es
für ihn kein Amt.

Einen gehässigen Schein warf es auf den Charakter
eines Mannes, wenn er, vor verflossener Trauerzeit, sich
fröhlich erblicken ließ. Aeschines machte dem Demosthe=
nes den Vorwurf, daß er, in einem weißen Gewande,
mit Kränzen geschmückt, den Göttern geopfert habe, ehe
die Trauer um seine verstorbene Tochter vollendet gewe=
sen. — Die Leichenbestatter wurden den Priestern gleich
geachtet, und ob es gleich, in Creta wie in Sparta, er=
laubt war, sich unter einander zu bestehlen, so machte
man doch bei diesen eine Ausnahme, und es galt für eine
Art von Tempelraub, wenn man sie bestahl.

Nur wenigen Unglücklichen wurde in Griechenland die
allgemeine, heilige Pflicht der Beerdigung versagt: Fein=
den, zum Beispiel, gegen welche einen besondern Groll
zu hegen, man Grund zu haben vermeinte. Homer liefert
manche dergleichen Erzählungen, und in spätern Zeiten
ließ der spartanische Admiral Lysander, nach Zerstörung
der atheniensischen Flotte, viertausend Kriegsgefangene
niederhauen, und erlaubte nicht, sie zu begraben.

Das war auch das Los der Vaterlandsverräther. Pausanias, der an die Perser sich verkaufte, blieb unbeerbigt. Sogar der berühmte Phocion — des Argwohns halber ungerecht verurtheilt, als habe er den Hafen der Athenienser in feindliche Hände liefern wollen — wurde unbegraben über die Grenze geworfen, und bei schwerer Strafe Jedermann verboten, ihm die letzte Pflicht zu erweisen. Wurde das Verbrechen erst nach dem Tode des Verräthers kund, so grub man seine Gebeine wieder aus. Der Feige in Vertheidigung seines Vaterlandes galt auch für einen Verräther und litt gleiche Strafe. Schon Agamemnon droht beim Homer: »Wer sich vom Kampf entfernt, der soll den Hunden und Vögeln nicht entrinnen.«

Denkwürdig ist, daß grausame Beherrscher, als Feinde des Vaterlandes, unbegraben blieben. Die Pheräer warfen Alexander's Leichnam den Hunden vor; und schon Nestor versichert dem Telemach: »hätte Menelaus den Aegisth lebendig angetroffen, er würde dessen Leichnam nicht mit lockerer Erde bestreut, sondern fern von der Stadt, unter freiem Himmel, unbeweint von achäischen Müttern, von Vögeln und Hunden ihn haben zerfleischen lassen.« —

Selbstmörder wurden in der Stille, ohne alles übliche Gepränge beerdigt, denn sie wurden angesehen, als solche, die aus Zaghaftigkeit sich dem Dienst des Vaterlandes entzogen. So ging es dem Ajar; so dem tapfern Aristodemus, der doch nur den Tod in der Schlacht bei Platäa suchte und fand, weil er bei Thermopylä seine Mitkämpfer überlebt hatte. Doch hielt man es, aus einem seltsamen Widerspruch, nicht für tadelnswerth, aus triftigen Gründen das eigene Leben zu verkürzen. Demosthenes und Hannibal trugen stets ein heftiges Gift bei sich, um im Nothfall lieber schnell sich hinzurichten, als dem Feinde in die Hände zu fallen. Cato, Cleopatra, Brutus wurden nicht minder hochgeachtet. Plato sogar, dem Selbstmord sonst sehr abhold, entschuldigt ihn, wenn ein Schimpf oder ein unvermeidliches Unglück dazu zwinge. Große Armuth, Schulden, unerträgliche Schmerzen des Körpers, verlorne Ehre, Liebe, Zorn. — Wem Eines dieser Uebel so zur Verzweiflung brachte, daß er den Dolch gegen seine eigene Brust kehrte, dessen Leichnam ging zwar der Ehre des Scheiterhaufens verlustig, wurde aber doch begraben. — Ein Tempelräuber hingegen nie.

Einen vom Blitz Erschlagenen begrub man in der Stille, weil man wähnte, ihn haßten die Götter. Man umzäunte den Ort, so wie jeden, den der Blitz getroffen, damit Niemand unwissentlich ihn betreten oder beflecken möchte.

Der Verschwender seines Vermögens ging der Ehre verlustig, in den Grüften seiner Väter beigesetzt zu werden. Der berühmte Philosoph Democrit lief diese Gefahr, weil er auf Reisen, den Geheimnissen der Natur nachspürend, sein Geld verschwendet hatte. — Die Leichname solcher, die mit Schulden belastet gestorben, gehörten ihren Gläubigern, die so lange, bis sie befriedigt waren,

kein Begräbniß gestatteten. Cimon gab ein schönes Bei=
spiel kindlicher Liebe, indem er seines Vaters Miltiades
Schulden und Fesseln auf sich nahm. — Auch in unsern
neuesten Zeiten haben Gläubiger bisweilen dieses Rechtes
sich bedient. So zum Beispiel lag ein Herzog von Croy,
der unter Peter dem Großen gedient, fast hundert Jahre
in einer Kirche zu Reval unbegraben, in der Hoffnung,
daß dessen Verwandte in Frankreich den Leichnam endlich
auslösen würden. Es geschah nicht.

Die zum Tode Verurtheilten, besonders die an's
Kreuz Geschlagenen, oder auf einem Pfahl Gespießten,
wurden oft eine Beute der wilden Thiere und Raubvögel.
Als König Lysimachus den Philosophen Theodor mit der
Kreuzigung bedrohte, antwortete dieser: »es gilt mir gleich,
ob ich über oder unter der Erde verfaule.« — Kinder,
die noch keine Zähne hatten, wurden unverbrannt
begraben. —

Auf den Gräbern solcher Menschen, die im Leben sich
allgemeinen Haß zugezogen, pflegte man herumzuspringen
und Steine darauf zu werfen. So sagt Euripides in seiner
Electra: »Er hüpft auf der Gruft seines Vaters herum,
und wirft Steine auf sein Denkmahl.«

Wenn in einem Hause eine gefährliche Krankheit war,
so steckte man einen Zweig von Rhamnus oder Kreuzdorn,
oder einen Lorbeerzweig an die Thür, theils um böse Geister
abzuhalten, theils um den Gott der Heilkunst zu gewinnen.
Der plötzliche Tod eines Mannes wurde dem Apoll, der

XVI.   15

einer Frau der Diana zugeschrieben, vermuthlich, weil
Sonne und Mond auf das Leben so großen Einfluß zeigen.

Da die Leichen unmittelbar den unterirdischen Göttern
angehörten, so wurde jedem Sterbenden etwas Haar ab=
geschnitten, um es diesen Gottheiten zu weihen. Darum
malt Euripides den Tod mit einem Schwerte in der Hand,
um Alcesten, die, nach des Schicksals Schluß, für Admet
sterben soll, das Haar abzuschneiden. Virgil singt: Dido
habe lange mit dem Tode gekämpft, weil Proserpina ihr
das Haar nicht abgeschnitten. Wahrscheinlich verdankte diese
Sitte ihren Ursprung dem Opfergebrauche, nach welchem
man dem Opferthiere ein wenig Haar von der Stirn
schnitt.

Die Sterbenden im letzten Todeskampfe beteten zum
Merkur, als dem Geleitsmann der abgeschiedenen Seelen.
Freunde und Verwandte drängten sich dann näher an sein
Lager, um das letzte Lebewohl ihm zuzurufen, und seine
letzten Worte zu vernehmen, die sie lange nachher noch mit
Ehrfurcht wiederholten, darum wehklagte Andromache bei
Hectors Tode: „Du reichtest mir die Hände nicht vom
Sterbelager; du sprachst kein weises Wort zu mir, um
mich dessen bei Tag und Nacht weinend zu erinnern.“

Die Freunde küßten den Sterbenden, suchten seinen
letzten Hauch mit ihrem Munde aufzufangen, wähnend,
daß diesen Hauch seine Seele belebe, die nun in den Küssen=
den übergehe. Ein süßer, tröstlicher Wahn! — Im Augen=
blick des Todes wurde an eherne Kessel geschlagen, um die

bösen Geister und Furien zu vertreiben. Man sagte nicht: er ist gestorben, sondern man bediente sich eines unübersetzbaren Ausdrucks: etwa so viel als aufhören geboren zu sein; oder man sagte: er hat gelebt; er schläft unter der Erde; er ist weggegangen aus der Gesellschaft der Menschen. Schlaf und Tod waren Zwillingsbrüder. Unser Lessing hat eine treffliche Abhandlung geliefert: »Wie die Alten den Tod gebildet.« Eine der schönsten Abbildungen war ein geflügelter Jüngling in tiefsinniger Stellung neben einem Leichname stehend, mit der Rechten und mit dem Haupte auf einer umgekehrten, auf die Brust des Leichnams gestützten Fackel ruhend, in der linken einen Kranz mit einem Schmetterlinge haltend. Der Schmetterling, der Kranz, der Aschenkrug, waren Sinnbilder des Todes, das Horn ein Sinnbild des Schlafes. Nie bedienten sich die Griechen unserer gräßlichen Skelette; höchstens setzten sie bei Schmausereien dergleichen künstliche mit auf die Tafel, um zu einem schnellen Genuß des Lebens aufzumuntern.

Hatte der Sterbende nicht schon selbst seinen Ring vom Finger gezogen, um ihn etwa seinem liebsten Freunde zu überreichen, so geschah es doch gleich nach dessen Tode von den Anwesenden, die ihm die Augen zudrückten; ein allgemeiner Gebrauch schon bei den Griechen wie noch bei uns. Dann wurde das Antlitz des Verstorbenen zugedeckt. Alles dies geschah von den nächsten Verwandten, welchen auch oblag, die Begräbnißkosten zu bestreiten, wenn nicht

15 *

etwa ein berühmter Mann auf Koſten des Staats beerbigt wurde.

Ehe der Leichnam erkaltete, ſtreckte man deſſen Glieder aus und legte ſie in Ordnung. Dann wuſch man den Körper. (Socrates wuſch ſich ſelbſt noch vor ſeinem Tode, um den Weibern die Mühe zu erſparen.) Man ſalbte ihn und legte ihm ein köſtliches Sterbekleid an. Auch das that Socrates noch lebend, als ihm Apollodor ein koſtbares Gewand brachte. Euripides erzählt daſſelbe von Alceſte. Weiß waren dieſe Gewänder, und viele ließen noch bei ihren Lebzeiten für ſich und ihre Freunde ſie verfertigen (ſo wie man heutzutage bisweilen Särge machen läßt). Nur in Sparta trugen die Leichen verdienſtvoller Männer r o t h e Kleider, andere mußten ſich mit ſchlechten Gewändern begnügen, und die Salben waren dort unterſagt. — Der nun geſchmückte Körper wurde mit Blumenkränzen und grünen Zweigen bedeckt. Ein in den öffentlichen Spielen als Preis errungener Kranz zierte auch noch den todten Sieger.

Endlich ſtellte man den Leichnam zur Schau aus; bisweilen auf die bloße Erde gelegt, bisweilen auf eine Bahre mit allerlei Blumen bedeckt. Ja, ſchon die Sterbenden pflegte man ſo auszuſtellen im Vorhaus, dicht an der Hausthüre, damit Vorübergehende vielleicht durch einen guten Rath ſie noch retten möchten. Die Griechen hatten dieſe Gewohnheit von den Egyptiern entlehnt und verpflanzten ſie weiter auf die Römer. Ohne Zweifel hat die Arzneikunde ſehr dadurch

gewonnen. Daß man aber die Verstorbenen ausstellte, ge=
schah, damit Jeder etwanige Merkmahle eines gewalt=
samen Todes wahrnehmen könnte.

Kurz vor der Beerdigung legte man dem Todten ein
Stück Geld in den Mund (das Fährgeld für den Charon)
und einen Kuchen von Mehl und Honig, um den Cerberus zu
besänftigen. Man stellte ferner ein Gefäß mit Wasser vor
die Thüre, und hängte einen Büschel Haare des Verstor=
benen auf, ein Zeichen, daß in diesem Hause getrauert würde.
— Die Zeit des Leichenbegängnisses war bald früher, bald
später, je nachdem der Verstorbene gering oder vornehm,
arm oder reich gewesen. Siebzehn Tage und Nächte ver=
flossen, ehe Achilles Leichnam in Flammen aufloderte. Acht
bis neun Tage reichten gewöhnlich hin, um die Zuberei=
tungen zu vollenden. Die Armen begrub man nach vierund=
zwanzig Stunden. Darum singt der Dichter Callimachus:
»Wer weiß, was ihm morgen bevorsteht! noch gestern sahen
wir dich, o Charmis! und heute folgen wir dir weinend
zur Gruft.»

Am hellen Tage beging man die Leichenfeier, denn in
der Nacht schwärmten Furien und böse Geister umher. Nur
Jünglinge wurden kurz vor Tagesanbruch begraben, um den
trauervollen Anblick der zerstörten Jugend der Sonne zu ent=
ziehen. Da trug man sie hinaus bei Fackelschein, und bald
wurde es üblich, auch am Tage die Leichen mit brennenden
Fackeln zu begleiten. Die nächsten Verwandten trugen sie,
und in Ermanglung dieser, Knechte, besonders Freigelassene.

An vielen Orten war die Leichenbegleitung nur den Verwand=
ten erlaubt, wenigſtens durfte kein Frauenzimmer vor dem
ſechzigſten Jahre dabei zugegen ſein. Vermuthlich hatten die
zahlreichen Verſammlungen beider Geſchlechter oft ärger=
liche Auftritte veranlaßt. Man ſieht das unter andern aus
einer Vertheidigungsrede des Lyſias für den Eratos=
thenes, welcher ſeines Weibes Buhler ermordet hatte, deſſen
Bekanntſchaft ſie bei einer Leichenfeier gemacht. — Wenn
Männer von großen Verdienſten begraben wurden, ſo zeich=
neten die Begleiter durch feſtlichen Schmuck ſich aus. Der
Leiche Timoleons folgten viele Tauſende, in weißen Kleidern
mit bekränzten Häuptern. In dem Augenblicke, wo der
Leichnam gewöhnlich ohne Sarg auf einer Bahre, aus ſeiner
Wohnung getragen wurde, rief man ein letztes Lebewohl
ihm nach.

Die trauernden Nachgebliebenen enthielten ſich nun=
mehr der Gaſtgebote, der Muſik und aller Zeichen von
Fröhlichkeit. Sie mieden den Wein, das Licht ſogar, und
ſuchten einſame Schattengänge. Allen Schmuck legten ſie
ab, hüllten ſich in ſchwarze Trauerkleider vom groben Tuche,
rauften das Haar ſich aus, oder ſchnitten es ab, und war=
fen die Locken auf das Grab oder den Scheiterhaufen. Admet
ließ bei Alceſtens Tode ſogar den Wagen=Roſſen ihre Mäh=
nen abſchneiden. Alexander that daſſelbe bei dem Tode He=
phäſtions, und — wie er alles zu übertreiben pflegte — ſo
genügte ihm das noch nicht einmal; denn auch die Spitzen
der Stadtmauern mußten niedergeriſſen werden. Nur die

Weiber schonten ihr Haar aus guten Gründen, und führten ein, daß ein fliegendes Haar bei ihnen für ein Zeichen der Trauer galt. — Die Trauernden pflegten sich auch im Staube zu wälzen, und wählten dazu den unsaubersten Plaß. Sie streuten Asche auf ihr Haupt, oder verhüllten es, oder stützten es in die Hand, gingen langsam mit abgemessenen Schritten, schlugen an die Brust und zerkrazten sich; besonders thaten das die Weiber, von denen ein alter Dichter singt:

»Der schreckliche Nagel der gern trauernden Weiber hat die rothe Wange zerfleischt, und die Finger haben sich freiwillig im Blute des schönen Busens gefärbt.« — Solon fand für nöthig, diese und andere solche Ausschweifungen zu verbieten. Standhafter trugen die Lacedämonier ihren Schmerz. Hingegen herrschte bei ihnen die barbarische Gewohnheit, daß die Leidtragenden sich unter einander mit Nägeln und Nadeln die Haut von der Stirn rissen.

Man klagte die Götter an, fluchte ihnen wohl gar, rieß ihre Altäre nieder, plünderte ihre Tempel, warf Steine nach ihren Bildsäulen. Die minder Wüthenden drückten ihren Schmerz in lang gezogenen Tönen aus.

Bei dem Tode großer Männer, ein Unglück, welches den ganzen Staat betraf, wurden die öffentlichen Zusammenkünfte unterbrochen, die Tempel, Gymnasien, Bäder und Werkstätte verschlossen. Jeder Bürger trauerte. So die Athenienser um Socrates, bald nachdem sie diesen tugendhaften Weisen zum Tode verurtheilt hatten.

Gedungene Klageweiber sangen Lieder von tief tönen=
den Flöten begleitet.

Obgleich die Griechen ihre Leichname sowohl begruben
als verbrannten, so war das letztere doch allgemeiner, denn
durch das Feuer wurden die Seelen gereinigt und konnten
vom trägen Körper befreit, ungehindert zu den himmli=
schen Wohnungen sich empor schwingen. Der Scheiter=
haufen, piramidalförmig gestaltet, trug auf der Spitze den
Leichnam, umringt in verschiedenen Abstufungen mit köst=
lichen Salben, Rauchwerk, Gewändern, Thieren, und
leider auch mit Sklaven oder Gefangenen. Man belegte
ihn mit dem Fett der Thiere, damit er schneller vom Feuer
verzehrt werden möchte, denn das galt für ein glückliches
Zeichen. Krieger nahmen ihre Waffen mit auf den Schei=
terhaufen, andere ihre täglichen Kleider. Des Verbrennens
kostbarer Dinge wurde endlich so viel, daß Lykurg und So=
lon es durch Gesetze beschränken mußten. — Der nächsten
Verwandten einer zündete den Scheiterhaufen an, indem
er zu den Winden betete. Dreimal umkreiste der Leichen=
zug den brennenden Holzstoß. Die Umstehenden gossen
Trankopfer aus, und riefen die Manen des Verstorbenen
an. War das Feuer niedergebrannt, so wurde es vollends
mit Wein gelöscht, und man sammelte die Asche, wusch auch
wohl mit Wein die unverzehrten Gebeine, legte beides in
Urnen oder Aschenkrüge aus Holz, Thon, Marmor, Sil=
ber und Gold, bekränzte diese mit Blumen, und bedeckte
sie mit einem Teppich.

Wenn der Todte nicht verbrannt, sondern begraben wurde, so legte man sein Haupt gegen Morgen. Nur Verwandte und Freunde bewohnten e i n e Gruft, bisweilen Einen Sarg. Liebende hegten diesen Wunsch. Es war die letzte Bitte der Thisbe, neben Pyramus begraben zu werden, und Admet wollte mit Alcesten in einem Sarge liegen. Auch in Urnen vermischten Freunde und Liebende gern ihre Asche; ein freundlicher Gebrauch, der leider nicht bis auf uns gekommen.

Die ältesten Griechen begruben ihre Todten in ihren eigenen Häusern, und die Thebaner hatten ein Gesetz, daß kein Haus ohne einen dazu gehörigen Begräbnißplatz erbaut werden durfte. Noch in spätern Zeiten waren diese Plätze innerhalb der Stadtmauern, besonders für Helden und hochverdiente Männer. Auch die Tempel öffneten sich den Todten, doch nur in seltenen Fällen. Ein gewisser E u - k l i d e s erwarb einst diesen Vorzug dadurch, daß er ein guter Fußgänger war, denn er lief in einem Tage tausend Stadien bis nach Delphi, um etwas von dem heiligen Feuer für die Platäenser zu holen, wofür sie ihm ein Grab im Dianentempel einräumten.

Doch am häufigsten begrub man späterhin die Todten außerhalb den Städten, an den Landstraßen. Nur in Sparta war es anders. Jedes Geschlecht besaß eine Familiengruft, von welcher ausgeschlossen zu werden, für ein großes Unglück galt. Als die Spartaner entschlossen waren, die Messenier zu unterjochen, oder bei diesem Unternehmen umzukommen, banden sie vor der Schlacht sich Zettel um den rechten Arm, mit ihrem und ihrer Väter Namen beschrieben, damit man, auf dem Schlachtfelde liegend, sie erkennen und in der Väter Gruft beisetzen möchte.

Man baute und schmückte solche Gräber oft mit großem Fleiß und Pracht, gleich den Wohnungen der Lebendigen, und oft brachten diese weinend oder nachdenkend, ganze Tage und Nächte in den Gewölbern bei den Ueberresten geliebter Verwandten zu. Todtenlampen hingen an den Säulen rings umher, erleuchteten den schauerlichen Ort, und die rühmlichen Inschriften, die sie trugen. Nur Lykurg duldete keine geschwätzigen Grabsteine, wie er sie nannte. Nicht Inschriften allein, auch allerlei Sinnbilder, bezeichneten auf den Gräbern den ehemaligen Stand oder die Beschäftigung derer, die sie bedeckten. Das Bild eines Mädchens mit einem Wasserkruge deutete auf eine Jungfrau. Die Eule, der Zügel und der Zaum stellten eine wackere Hausfrau vor, die bis spät in die Nacht Wolle gesponnen, ihr Hauswesen selbst gelenket, und ihre Zunge zu beherrschen gewußt. Auf dem Grabe Diogenes des Cynikers lag ein Hund, das Sinnbild seiner Secte und seines Charakters. Das Grab des Isocrates schmückte eine Sirene, um seine Beredsamkeit zu versinnlichen. Auf Archimedes Gruft lagen eine Sphäre und ein Cylinder. Waffen gebührten dem Soldaten, Werkzeuge dem Handwerker oder Künstler.

Im Schmucke der Gräber schweifte der griechische Lu=
rus nach und nach so aus, daß Gesetze ihn hemmen mußten.
— Die Erde ruhe leicht auf dir! war eine grie=
chische Redensart, die Ammianus sinnreich verkehrte, in=
dem er einem Bösewicht zwar dasselbe wünschte, doch nur,
damit die Hunde sie leichter aufkratzen könnten.

Denkmähler unterschieden sich von Grabmählern
dadurch, daß sie blos den Ruhm der Verstorbenen verewig=
ten, ohne ihre Gebeine zu bewahren. Geschah das für solche,
deren Leichname nicht gefunden worden, so war es zugleich
das einzige Mittel, ihren herum irrenden Seelen die Pfor=
ten der Ruhe zu öffnen. Man rief dann ihre Namen drei=
mal mit lauter Stimme, gleichsam um sie einzuladen, die
neue Wohnung zu beziehen.

Gedächtnißreden, Lobreden, feierliche Spiele mit aus=
gesetzten Preisen u. s. w. verherrlichten die Leichenfeier, und
wenn Alles vollbracht war, so folgte die Reinigung,
durch Besprengen mit Wasser und auf manche andere
Weise. Mit Schwefel räucherte man in den Häusern, wie
auch Ulysses that, nachdem er Penelopens Buhler umge=
bracht. Nur die Spartaner hielten die Todten nicht für
unrein, und spotteten des Aberglaubens der übrigen
Griechen.

Diese gingen nun gereinigt zum Trauermahl bei
dem nächsten Verwandten des Verstorbenen. So bewir=
thete Priamus die Trojaner nach Hektor's Leichenbegäng=
niß. Was vom Tische fiel, war den Manen des Verstor=

benen gewidmet; ein Gebrauch, auf den Pythagoras mit
der Lehre zielt: »Koste nicht das vom Tische Gefallene.«
Auch die Ueberreste der Mahlzeit trug man zum Grabe und
legte sie da nieder. Daher konnte man den ärmsten Bett=
ler, wie den gierigsten Geizhals nicht stärker schildern, als
wenn man von ihm sagte: »Er nimmt seine Speise von
den Gräbern.« — Die Tischgespräche bei solchen Trauer=
mahlen durften blos das Lob der Verstorbenen enthalten,
womit man denn, wie in unsern Zeiten, so verschwen=
derisch war, daß ein spottendes Sprichwort daraus ent=
stand. — Wer aber den Todten wahrhaft geliebt hatte, der
hing Lampen in seine Gruft, bestreute sie mit Kräutern
und Blumen, besonders mit Eppich, mit weißen und
purpurfarbenen Blumen, Amaranth, Jasmin, Lilien,
Rosen, Mirten. Darum singt Anacreon von der Rose:
»sie heilt die Kranken, sie beschützt die Todten;« und Electra
klagt beim Euripides, daß kein Mirtenzweig Aga=
memnon's Grab ziere. Auch Bänder und Haare legte man
auf das Grab und salbte es mit Wohlgerüchen.

»Warum salbst du den Grabstein?« sprach Anacreon,
»warum verschüttest du die Wohlgerüche? Salbe lieber
mich, den Lebenden, und bekränze mein Haupt mit Rosen.«

Noch eine seltsame Ehre erwies man den Todten, in=
dem man nackend um ihre Gräber lief. Das that sogar
Alexander der Große, als er bei Troja das Grab des
Achill's fand.

Trankopfer, am Grabe dargebracht, bestanden aus Ho=
nig, Wein, Milch und Wasser. Besonders galt der Honig
für ein Sinnbild des Todes; warum? ist unerklärlich. Sel=
ten opferte man Thiere, und wenn es geschah, so eigneten
sich zu diesem Gebrauch nur schwarze Schafe und unfrucht=
bare Kühe, wie man auch den unterirdischen Göttern sie zu
opfern pflegte. Am neunten und am dreißigsten Tage nach
der Beerdigung ehrte man die Todten durch alle diese er=
zählten Gebräuche, wiederholte sie auch wohl, so oft ein
Freund anlangte, der bei der Leichenfeier nicht gegenwärtig
gewesen, oder so oft sich sonst eine Gelegenheit darbot, das
Andenken des Verstorbenen zu erneuern. In mehreren
Städten Griechenlands war der Monat Anthesterion
dazu bestimmt. An solchen feierlichen Tagen rief man die
Todten laut bei Namen, und nährte den süßen Wahn,
daß ihre Seelen heraufstiegen, um an den liebevollen
Erinnerungen ihrer Nachgebliebenen sich zu ergetzen. Auch
die Geburtstage der einst Lebenden wurden nach wie vor
gefeiert.

Große Männer vergötterten die Griechen, in den
ältesten Zeiten selten, doch häufig in der Folge, als Schmei=
chelei ihr Gift verbreitet hatte. Vor allen verschwenderisch
waren die Athenienser mit dieser höchsten Ehre, so wie sie
überhaupt in Schmeichelei und Aberglauben es allen Grie=
chen zuvorthaten.

———

7. Von der Liebe unter den Griechen.

Wir verlassen endlich die Todten, um die Lebendigen in Mirtenhainen zu belauschen. Da stoßen wir zuerst auf eine verrufene Sitte, die Jünglings-Liebe, unter den alten Griechen so allgemein üblich, und nicht im Verborgenen getrieben, sondern vom Gesetz erlaubt und sogar befördert. Es haben manche Schriftsteller bei dieser Liebe von Unanständigkeiten geträumt; doch alte, unverwerfliche Zeugen versichern, daß, weit entfernt die Tugend zu beleidigen, die Jünglinge vielmehr dadurch zu edlen Thaten ermuntert worden. Das wußten die Tirannen wohl, die Unterdrücker griechischer Freiheit, und hatten es öfters erfahren, darum wandten sie in der Folge alle Mittel an, um diese Liebe auszurotten. Aber hoch begünstigt wurde sie in Republiken.

Ein freigeborner schöner Jüngling unter den Cretensern wurde laut getadelt, wenn er nur einen Liebhaber gehabt, denn man setzte voraus, er müsse durch große Fehler sich dieses Vorzuges unwürdig gezeigt haben. Konnte er sich hingegen eines oder mehrerer Liebhaber rühmen, so gebührte ihm bei öffentlichen Spielen der erste Sitz, und er trug, als ehrenvolle Auszeichnung, ein köstliches Gewand. Auch nach Erreichung der männlichen Jahre trug er es noch fort, zur Erinnerung, daß er unter die Zahl der **Klainoi**, das hieß der **auserlesenen Jünglinge** gehört. Die Liebhaber nannte man **Filitoren**. Sehr räthselhaft wird die Sitte doch immer bleiben. Sie weicht, mit allen dahin gehörigen Nebenumständen, so ganz von unsern Sitten ab, daß wir, auch nach der genauesten Beschreibung, doch nimmer ein deutliches Bild davon empfangen werden. In Creta mußten die Liebhaber die Jünglinge, nach welchen sie trachteten, mit Gewalt rauben, doch nur zum Schein. Sie zeigten nämlich den Verwandten an, daß sie einen Knaben lieb gewonnen, und setzten zu dessen Raube einen Tag fest. Nun prüften die Verwandten, ob der angebotene Liebhaber auch des Knaben würdig sei. Zweifelten sie daran, so verweigerten sie dessen Verabfolgung. Wurde er hingegen annehmlich befunden, so thaten sie zum Schein noch einigen Widerstand und überließen ihm sodann die Beute.

Jetzt führte der Liebhaber den Geliebten auf die Jagd, und ergetzte ihn auf allerlei Weise, doch nicht länger als zwei Monate, dann brachte er ihn den Seinigen zurück, beschenkt mit einer völligen Rüstung, einem Stier und einem Becher, auch wohl noch mit mehrern köstlichen Dingen. Den Stier opferte der Knabe dem Jupiter, und berichtete, wie es ihm ergangen. War er ungestüm behandelt worden, so stand das Recht ihm zu, Genugthuung zu fordern.

Unter den Spartanern beschenkten die Liebenden sich nicht. Blos gegründet auf gegenseitiges Verdienst, immer edel und frei von allem Verdacht war ihre Liebe; die Scham unter ihnen so hoch gehalten, daß zum Beispiel Agesilaus ten von ihm geliebten Jüngling nicht einmal küssen wollte. Wenn es aber ein Spartaner wagte, diese strenge Sittlichkeit zu verletzen, so wurde er für e h r l o s erklärt und aller Vorrechte freier Bürger beraubt. Nur gleich einer schönen Bildsäule durfte er den Jüngling lie= ben, nur zur Tugend und allem Löblichen ihn anreizen; Ehre und Schimpf mußte er mit ihm theilen. Man be= strafte einst den Liebhaber, dessen geliebter Knabe im Ge= fecht sich weibisch bewiesen. Mit Erreichung der männli= chen Jahre verwandelte sich diese Liebe oft in ewige Freund= schaft. Der Aeltere behielt das Vertrauen des Jüngern, und leitete diesen durch seinen Rath. So zum Beispiel wurde Cleomenes vor seiner Thronbesteigung von einem gewissen Xenares geliebt, dem er nachher als König sein ganzes Vertrauen schenkte, und der sich zwar unwillig von ihm trennte, als Cleomenes eine neue Staatsverfas= sung einführen wollte, aber doch dessen Anschläge treulich verschwieg. — Bisweilen liebten Mehrere einen und den= selben Jüngling; daß aber ein solcher Zufall, weit entfernt Eifersucht zu erwecken, vielmehr ein festes Freundschafts= band um die Liebenden schlang, mag nicht wider die Un= sträflichkeit ihrer Neigung beweisen.

Auch die Spartanerinnen übten unter sich die männ= liche Sitte, und die tugendhaftesten Matronen bewiesen öffentlich ohne Bedenken eine zärtliche Liebe zu schönen keuschen Mädchen.

In A t h e n verbot Solon die Jünglings=Liebe den Sklaven, um gleichsam durch Entfernung der Unwürdigen

die Würdigen noch mehr dazu aufzumuntern. Er selbst
liebte den Pisistratus, und gleich ihm unterwarfen sich die
ersten Männer des Staats dieser Leidenschaft. Auch So=
crates hegte sie, doch haben immer seine Feinde, die so
eifrig alles hervorsuchten, um ihn zu stürzen, einer unrei=
nen Liebe ihn beschuldigt. Wie gern würden sie das gethan
haben, und wie viel leichteres Spiel hätten sie gehabt, da
die strengen Gesetze der Athenienser den unkeuschen Jüng=
ling für ehrlos und unfähig ein Amt zu verwalten erklär=
ten, den unzüchtigen Liebhaber sogar mit der Todesstrafe
belegten.

Die Thebaner hatten — von dem Einfluß dieser
Sitte auf die Jugend alles Große und Löbliche erwar=
tend — einen Phalanx errichtet, ein auserlesenes Corps
von dreihundert Mann, welches blos aus Liebhabern und
geliebten Jünglingen bestand, und deshalb das Heilige
genannt wurde. Es erkämpfte berühmte Siege, überwand
zum ersten Male die bis dahin für unüberwindlich gehalte=
nen Spartaner, und unterlag nur Einmal, in der Schlacht
bei Chäronea. König Philipp wurde tief gerührt, als er
nach diesem Treffen die dreihundert Mann sämmtlich todt
neben einander liegen sah, und mit Thränen rief er aus:
»Sterben müsse, wer je argwohnen könnte, diese Helden
wären nicht unsträflich!«

Das Wort Liebe mag unpassend sein für die Empfin=
dung, welche hier bezeichnet werden soll. Es war vielmehr
ein Enthusiasmus der Freundschaft, eine innige Zunei=

XVI.   16

gung, auf Schönheit der Seele wie des Körpers gegründet, und nur auf Beistand, Vervollkommnung, Beförderung gegenseitiger Glückseligkeit abzweckend. So liebten sich, schon im heroischen Zeitalter, Achilles und Patroclus, beide jung, schön und verständig. Der Eine lehrt, der andere lernt; Jener trauert, dieser tröstet; Jener singt, dieser hört ihm lauschend zu. Mit Thränen bittet Patroclus den Freund um dessen Einwilligung zum Kampfe; Achilles gibt nach und legt ihm seine eigene Rüstung an, harrt ängstlich seiner Rückkunft, und als diese nicht erfolgt, als er des Freundes Tod vernimmt, wünscht er selbst zu sterben. Ein ähnliches Beispiel haben Orest und Pylades aufgestellt. Socrates ging den schönsten Jünglingen nach und eroberte ihre Herzen durch edle Liebe, und machte sie empfänglich für seine weisen Lehren. So liebte er den Alcibiades, Critobulus, Agathon und andere mehr. Er liebte sie schwärmerisch, das bezeugten seine Ausdrücke. „Mir klopft das Herz," sprach er, »wenn ich den Charmides sehe; der Anblick des Alcibiades bringt mich außer mir, gleich einer Bacchantin; ein glänzender Schein bei Nacht ist mir Autolykus u. s. w." Dennoch ahneten selbst seine bittersten Feinde nichts Strafwürdiges, und als Aristophanes, aus Muthwillen oder erkauft, sein Talent herabwürdigte, um in seinen Wolken als ein wüthender Satyr den tugendhaftesten Weisen in Griechenland zu geißeln, wagte er es doch nicht, ihm diese Liebe vorzu=

rücken. Auf gleiche Weise liebten Plato, Zeno und an=
dere berühmte Philosophen.

Sonder Zweifel wurde diese Sitte durch die Eingezo=
genheit des schönen Geschlechts noch mehr befördert. Es
entbehrte der hohen Achtung, deren es unter uns genießt;
viele Griechen waren Weiberhasser, Ehefeinde; unter ihnen
leider auch solche, denen wir Gemälde der zartesten Em=
pfindungen verdanken, Pindar zum Beispiel und Eu=
ripides. Wie konnte der letztere eine Alceste schreiben? —
Allein die schönen Leserinnen dürfen darum nicht auf
die Griechen zürnen. Es gab ihrer immer noch genug, und
bei weitem die meisten, welche dieser Ketzerei sich nicht theil=
haftig machten, hingegen durch schöne Weiber, eben wie
in unsern Tagen, zu jeder Thorheit sich verleiten ließen.
Manche schrieben den Namen der Geliebten an jeden
Baum, jede Wand, in jedes Buch, schmückten ihre Haus=
thür mit Kränzen und Blumen, gleich Cupido's Tempel,
gossen wohl gar Trankopfer vor derselben aus. Aristophanes
erzählt von den thessalischen Jünglingen, deren so viele
in die schöne Lais verliebt gewesen, daß sie ihre Thür
mit Wein besprengten. — Ein Jüngling, dessen Kranz
nicht zusammen gebunden war, oder ein Mädchen, das
einen Kranz flocht, bekannten sich dadurch verliebt.
Man bediente sich, wie noch jetzt, allerlei kleiner, aber=
gläubischer Gebräuche, um zu erforschen, ob man in der
Liebe glücklich sein werde oder nicht. So wie wir die Gän=
seblümchen befragen, indem wir ein Blatt um das an=

16 *

ausrupfen, so befragten die Griechen den M o h n. Klatsch=
ten die Blätter nicht auf der Hand, so war es ein böses
Zeichen. Man rief magische Künste zu Hilfe, um Liebe zu
erwecken. Die thessalischen Weiber verstanden das am besten.
L i e b e s t r ä n k e wirkten so heftig, daß sie oft Wahnsinn
hervorbrachten. Der römische General Lucullus verlor da=
durch Vernunft und Leben. Eben so ging es dem Dichter
Lucretius, dem Lucilia einen Liebestrank beibrachte, und
dem Caligula, der durch ein Tränkchen seiner Gemahlin
Cäsonia unsinnig wurde, — und woraus bestanden diese
gefährlichen F i l t r a? wie man sie nannte. Sicher waren
viele dieser Bestandtheile sehr unschuldig an der schrecklichen
Wirkung. Ein S t ü c k c h e n F l e i s c h von der Stirn eines
neugebornen Füllen zu Pulver gebrannt und mit einigen
Tropfen von des Liebhabers Blute gemischt. (Ein solches
Pulver gab Dido dem ungetreuen Aeneas.) E i n k l e i n e r
V o g e l, eine Sperlings=Gattung, dessen Zunge besonders
eine Zauberkraft besaß. Man steckte ihn aber auch ganz
auf ein Rad von Wachs, und drehte ihn so lange am
Feuer, bis das Rad geschmolzen war. So sollte auch
das Herz der grausamen Geliebten schmelzen. Venus
gab dem Jason einen solchen Vogel, um Medeens Liebe
zu gewinnen.

Verschiedene K r ä u t e r und I n s e k t e n, die in Fäul=
niß erzeugt werden; gewisse F i s c h e, E i d e c h s e n, K a l b s=
g e h i r n, W o l f s h a a r, die Knochen von der linken Seite
einer Kröte, die von Ameisen gefressen worden; Tau=

benblut, Schlangengerippe, Uhus=Federn, Stricke oder Bänder, an welchen sich ein Mensch erhängt hatte — ekelhafte Dinge genug, doch schwerlich etwas Sinneberaubendes. Bisweilen beging man auch die Grau= samkeit, ein ganzes Nest mit jungen Schwalben in die Erde zu vergraben, bis sie Hunger gestorben waren. Dann öffnete man die Grube. Fanden sich todte Schwalben mit aufgesperrten Schnäbeln, so dienten sie Liebe zu erregen, die mit verschlossenen Schnäbeln, Liebe zu unterdrücken. Auch ein Knochen, einem gierigen Hunde entrissen, sollte Begierden erwecken u. s. w. Andere machten Herzen, oder kleine Bilder von Wachs, die geliebte Person vorstellend, brachten sie an's Feuer und meinten auf gleiche Weise die Grausame zu erweichen. Sehr kräftig war es, wenn man etwas der Geliebten Zugehöriges, etwa einen Lappen von dem Saume ihres Kleides, entwenden konnte. Geknüpfte Liebes=Knoten sollten trefflich wirken. Wüßten wir nur noch, welche Kräuter und Mineralien die Griechen zu ihren Zaubertränken mischten, so würden wir das Räthsel der oft so furchtbaren Wirkung derselben leichter lösen. Offenbar mußten es Gifte sein.

Eine Liebe, durch Zaubermittel eingeflößt, konnte durch andere Zaubermittel auch wiederum vertilgt werden, nicht aber die von der Natur geweckte. Das Kräutlein Agnus castus stand besonders in dem Rufe, Liebe, oder vielmehr Sinnlichkeit zu unterdrücken; auch das Wasser des Flusses Selemnus in Achaja. Dieser Fluß war nämlich ein schöner junger Hirt gewesen, den die Nymphe Argyra geliebt, und, da er alt geworden, ihn verlassen hatte. Mitleidig verwandelte Venus den Verzweifelnden in einen Fluß, der seine treulose Nymphe endlich vergaß, und diese Vergessenheit in der Folge allen unglücklich Liebenden mittheilte, die sich in seinem Wasser badeten.

Sollte Venus sich geneigt finden lassen, dieses Wunder heutzutage zu Gunsten aller verlassenen Liebhaber zu wiederholen, so würde bald eine allgemeine Ueberschwemmung entstehen.

Einladung zur Pränumeration

auf **Kuffner's** beletristische Schriften in einer neuen, höchst eleganten und sehr wohlfeilen Ausgabe,

enthaltend:

die vorzüglichsten, theils neu bearbeiteten, theils bisher noch ungedruckten

Romane, Erzählungen, Novellen,

Mährchen, Sagen, Dichtungen, humoristischen und anderen Aufsätzen,

unter dem Titel:

Chr. Kuffner's

erzählende Schriften,

dramatische und lyrische Dichtungen.

Ausgabe letzter Hand. In 10 Bänden.

Schiller = Format, kl. 8., der äußern Ausstattung nach ganz gleich der neuesten Original=Ausgabe der Kotzebue'schen Theater, auf feinstem Maschinen=Velinpapier, mit größter typographischer Sorgfalt und Eleganz gedruckt.

☞ **Zwei Bände sind bereits erschienen und zu haben.**

Diese enthalten:

Band 1. Malfeo's Schreckensbild. Yboman und Liebe. Ernestinens Blumenroman.— Die drei Tirannen.— Die Braut ohne Bräutigam, und der Bräutigam ohne Braut.— Versöhnung im Tode. — Der Ehering.

❦

Band 2. Die Gestalten der Liebe. (Ein Roman in 37 Kapiteln.)

Jeden Monat erscheint ein neuer Band, beiläufig **300** Seiten stark, in Umschlag bro= schirt; und das ganze Werk wird, wenn nicht früher, läng= stens bis zum nächsten Frühjahr, vollendet sein.

Der Pränumerationspreis für jeden Band

ist nur 36 kr. C. M.!!

Bei Empfang des ersten Bandes ist der letzte, welcher f. Z. als Rest geliefert wird, vorauszubezahlen.

Wer sogleich für alle 10 Bände voraus= bezahlt, erhält dieselben um 5 fl. C. M.!!

☞ Diese Preise sind jedoch nur bis zum Erscheinen des 5. Bandes gültig, indem sodann der bedeutend erhöhte Ladenpreis von 7 fl. 30 kr. C. M. eintreten wird.

Pränumeration wird angenommen: in allen soliden Buchhandlungen des In= und Auslandes und in der Buch= und Verlagshandlung von

Ignaz Klang in Wien,
in der Dorotheergasse Nr. 1105,
im linken Eckhause vom Graben hinein.

Printed in Great Britain
by Amazon